22.900

ABACAXI

REINALDO MORAES

ABACAXI

EDITORES

ISBN — 85-254-0069-6

Capa: Rico Lins
Revisão: Clarice Rahn e Renato Pinto.
Impressão: Gráfica Editora Pallotti

Impresso no Brasil
Inverno de 1985

"when I woke up this morning, boys,
I was gone"

(ny dolls)

pra Ritinha K.

e também pra Maria Emília
Rui e
Úrsula

Enquanto isso, em Nova York...

Pega bem um capítulo novaiorquino num romance brasileiro. Conheço gente que mora ou morou em Nova York. Quem não conhece? O carinha que vende mentex na esquina talvez não conheça. Mas esse personagem não conta. Agora, a cara dele aparece enquadrada pela janela do motorista. Deve ter uns doze anos, o moleque. Segura uma caixa de papelão fino cheia de caixinhas amarelas de mentex. O fusca vermelho parou no farol da Estados Unidos c/Rebouças e foi logo abordado pelo moleque do mentex:

— Hei, mister, how about a pack of mentex?

O personagem na direção do fusca vermelho desbotado sacode um não de cabeça, sem olhar pro moleque, olhos fixos no farol vermelho, quatro carros à frente. O personagem na direção do fusca aguarda impaciente que o farol verdeje. O garoto insiste:

— It's only five hundred bucks each, mister. Three will cost you only one thousand. Three for one thousand, for you mister.

— Não, brigado — responde o personagem na direção, dando olhadas de quina pro garoto. O farol ainda está vermelho, mas o personagem na direção engrena a primeira e dá uns cutucões nervosos no acelerador. O garoto não desgruda:

— O, c'mon, mister, I didn't sell a single mentex all day. My mother is very sick, my father just died, my brothers and sisters are very hungry. Please, mister, won't you help me? I'll make it four hundred a pack for you, ok? Ok? Ok?

O moleque joga uma caixinha de mentex no colo do motorista, que a devolve no ato:

— Escuta, eu não quero esse troço. Tô sem troco. Fica pra próxima, tá?

— It's no problem, mister, I can change your money.

O personagem na direção perde a paciência:

— Já te falei que eu não quero ESSA PORRA DESSE MENTEX! TÁ ME OUVINDO?

O moleque do mentex não acreditaria, mas quinhentos paus é tudo que o personagem na direção tem na carteira. O farol fica amarelo, os carros engrenam, o moleque encara com ódio o personagem na direção do fusca vermelho, os motores roncam, os primeiros carros da fila começam a rodar. Na camiseta do moleque do mentex a palavra FAME vibra em lilás contra fundo azul; jeans estropiado, tênis imundo, e na sua mão esquerda a caixa de papelão com os mentex. O moleque rosna:

— Alright, mister! THANK YOU! I wonder why don't you stick your dirty fucking money UP YOUR ASS! You mother fucker!

É puro ódio na cara do moleque. O persona-

10

gem na direção sobe a janela e trava a porta. Os carros na sua frente avançam com muito vagar; nervoso, ele quase parachoca o carro da frente. O moleque do mentex acompanha o fusca, xingando o personagem na direção. O garoto parece que envelheceu 10 anos, agora que abandonou a expressão de querubim suplicante. As caixinhas de mentex vibram dentro da caixa de papelão feito guizo de cascavel. O personagem da direção disfarça o medo numa indiferença amarela. Se vê que da caspa à sola do tênis ele é todo um só desejo: zarpar dali o mais rápido possível. O moleque encosta o cano-dedo do revólver-mão no vidro da janela do fusca e aciona várias vezes o percussor-dedão.

Fosse um berro de verdade... — pensa num calafrio o da direção.

O comboio de carros demora séculos pra cruzar a Rebouças. Quando chega a sua vez de cruzar a avenida, já com o farol amarelo, o personagem na direção vê pelo retrovisor o moleque do mentex ruminando xingamentos e armando a rosca de dedos com veemência: Fuck you! Enquanto isso, a tarde, como era seu costume sempre que o trânsito começava a encrespar na cidade, morria.

●

Mas, por que diabo todo mundo aqui quer ir pra Nova York? Um amigo meu vive dizendo: "Mil vezes a decadência de Nova York ao apogeu de Campo Grande". As pessoas riem dessa frase. Os bois que pastam nas fazendas de Mato Grosso do Sul pouco ou nada têm a dizer sobre isso. No entanto, os fazendeiros de Campo Grande saboreiam steaks au poivre nos restaurantes franceses de Nova York e se consideram cidadãos do mundo. O

11

boi que mastigam talvez estivesse, meses antes, comendo capim na fazenda deles, a milhares de milhas ao sul de Nova York. Os bois pastam, sob sol e chuva, noite e dia. "Night and day, you are the one, only you beneath the moon and under the sun..." Um dos bois cantarola essa canção, entre dois bocados de capim gordura, para a sua vaca que pasta ao lado. Ele nem imagina que dali a um mês poderá estar em Nova York se desfazendo macio nos dentes rijos e sanguinolentos do fazendeiro e sua senhora ou amante. E não sabe que o apogeu de Campo Grande e a cintilante decadência de Nova York são uma única e mesma coisa. Os uníssonos das jazz bands americanas provocam um arrepio ondulante nos pastos matogrossenses.

"Tô pensando em ir morar em Nova York, ano que vem", é frase muito ouvida por aí. Todo mundo quer ir pra Nova York no ano que vem. Menos eu e meu bem. A gente vai pra Campo Grande de trem. (Eu hein...) Até o carinha do mentex anda pensando em ir pra Nova York no ano que vem. Dava pra ler isso na camiseta dele, enquanto filhadaputeava o personagem na direção do fusca vermelho. Quando todos tiverem ido pra Nova York, no ano que vem, ou daqui a dois anos no máximo, alguém vai botar uma placa nas portas fechadas de São Paulo: "Mudamos pra Nova York. Favor encaminhar correspondência pro consulado dos Estados Unidos em Campo Grande". Os poucos infelizes que não conseguirem mudar pra Nova York a tempo serão removidos pra Campo Grande. Lá passarão o resto da vida observando os bois no pasto e ruminando o desejo de estar em Nova York. "É bosta de vida", resmungarão, vendo o gado saudável defecar na paisagem.

Sempre que o assunto é Nova York e alguém me pergunta "Cê conhece Nova York?" eu respon-

12

do, no tom mais neutro possível, que eu já estive uma vez em Nova York. A pessoa então faz "Ah é?" me olhando incrédula, pensando "Como é que esse cara, de tênis sujo, jeans demodê e camiseta furada pode já ter botado os pés em Nova York?" Ninguém pede detalhes da minha viagem a Nova York, julgando talvez me poupar o trabalho de mentir. Eu mesmo chego a duvidar de que já estive de fato em Nova York. Como pode conhecer Nova York quem muitas vezes não tem dinheiro prum réles chope? It doesn't make any sense. Só que, salvo lapso ficcional ou etílico, eu já estive no duro em Nova York. Cheguei lá bêbado, ou melhor, oco de ressaca, e passei uns dez dias flutuando ao sabor de variadas drogarias na ilha nababa. No fim, sempre de barato, tomei um avião e voltei pra São Paulo, de onde tinha decolado pra França havia dois anos.

Minha lembrança de Nova York é um out-door cubista de luzes, caras, copos, garrafas, belas mulheres, táxis amarelos, charos, pó, crioulões-em-flor, vitrines sedutoras, mercadorias cintilantes, prédios gigantescos de botar complexo de pau pequeno em São Paulo, mulheres, ruas retas numeradas sem fim, mulheres, ruas, mulheres, ruas... Minto? Mito? Sei lá. Também não sei se gostei ou não de Nova York. Acho que sim, ou lembraria que não. Quando cheguei lá voltava de uma Paris feliz onde bundara avec Frédéric e escrevera um livreco à toa nos dois anos surrupiados ao tempo careta, graças a uma bolsa de estudos. Meti a mão na bolsa, chutei os estudos e, em vez de tese, teci um texto tóxico-tarado sobre o nada quase absoluto. Pra arrematar, resolvi voltar ao Brasil pelo atalho novaiorquino, queimando uma raspa de grana que sobrara da bolsa.

Uma grande amiga minha de Paris tinha uma

13

prima que morava em Nova York. A tipa trabalhava na sucursal americana de uma trade company brasileira, era divorciada e morava há quase dez anos nos States. Cris telefonou pra tal prima de Nova York me descolando hospedagem. A prima, segundo Cris, era business woman durante o dia e lobiswoman depois do expediente. Judia, inteligente, culta, cosmopolita, maluca, agitava todas e mais algumas. Tinha quarenta e dois anos. Um detalhe: a prima se recuperava de uma operação "de senhoras". Perguntei a Cris: "Sua prima tirou um peitinho?" Cris respondeu. "Um ovário". Isso me tranqüilizou. Pensei: um ovário, hoje em dia, não faz tanta falta; não sei direito onde fica, nem pra que serve e, se não me engano, elas têm mais dois ou três de reserva, de modo que...

Armaram um bota-fora memorável em Paris pra mim. Copos, canudos, charos, seringas. Zorra pesada. No dia seguinte, eu tinha ânsia de vômito cada vez que piscava. Precisava estar no aeroporto às 11h da manhã. Cris, que amanheceu pelada de mão no bolso no meu studiô, foi quem arrumou minhas coisas no bag de nylon e me rebocou de táxi até Charles De Gaulle. Na poltrona do DC-10 sentamos, eu e a pior ressaca da minha vida, espécie de cômputo geral dos porres e junkerias parisienses. Trazia umas trezentas laudas de romance num saco plástico. Em pleno vôo, depois de encher vários saquinhos de vômito ("O senhor deveria ter adiado a viagem, Monsieur", bronqueou a aeromoça da Air France) e de engolir litros de água mineral, rabisquei à bic as últimas linhas do meu romance: "No alto da torre Eiffel, ele se preparava para embarcar no Zepelin que o traria de volta a São Paulo. A representante da Associação Das Mulheres Que Ele Infelizmente Não Comeu Em Paris ofereceu-lhe um felatio de despedida, ao som da Marselhesa, en-

14

quanto a tripulação do Zepelin, perfilada na plataforma, batia continência coa mão esquerda e punheta coa direita, inclusive as zep-girls. Foi tocante. Ele gozou na boca da representante da ADMQEINCEP com os olhos rasos d'água. Já a bordo do Zepelin, enquanto enrabava uma zep-girl (cortesia da primeira classe), ele declarou suspiroso: 'Tchau vida boa...'"

Nova York, agosto de 1980. Verão lascado. O policial da imigração carimbou quinze dias no meu passaporte, depois de me interrogar com maus bofes sobre o que eu ia fazer nos States, o que tinha feito em Paris, quem eu conhecia em Nova York, se eu tinha passagem de volta pro Brasil. Me olhava de alto a baixo como se eu fosse matar o presidente dali a quinze minutos. Ou estuprar a estátua da liberdade. Ou envenenar todos os hamburguers da América.

O crioulão do táxi que me levou do aeroporto pra Manhattan reluzia de suor. Perguntou se eu era afins de "weed, coke, H, anything". Afins eu sempre era, claro, mas não ia dar bandeira pra ele. Eu entendia só 37,53% do que o negão dizia. O inglês era um chiclé na sua boca. Véspera de eleições presidenciais e o cara com medo que o Reagan ganhasse. "It ain't going to be easy for us, black people", suspirou. Eu só falava: "Sure, sure, sure"; e o crioulão: "Shit, shit, shit". Lá estava eu na matriz. A paisagem pela janela do táxi me parecia estranhamente familiar. Já tinha visto aquele filme. Já tinha mesmo trabalhado naquele filme, ou melhor, numa versão barateada.

Rua 59, n.° 4.567. Puta prédio: 35 andares de puro luxo. Sheyla's home. Sheyla era a prima da Cris, minha amiga brasileira de Paris. O negão do táxi disse o preço da corrida: doze dólares. Apresentei-lhe uma nota de 50, ele resmungou: "ain't

15

got no change, man", ficou puto, "what a shit", que eu me virasse pra trocar a nota, e rápido, que ele não tinha tempo a perder. Saí do carro, fucei bolsos e bagagem à cata de uns trocados. Peguei uma maçaroca de francos misturados com dólares, achei uma nota de 20. Vinte era mais fácil de trocar que cinqüenta. Perguntei a ele: "Cê troca vinte?" Ele disse "oh, sure", abriu um largo sorriso, pegou a nota, disse: "Alright", engrenou a caranga e se mandou, me deixando plantado na porta do prédio, com cara de otário. Vê se pode: crioulo pobre de país rico passando a perna em branquelo classe-média de país pobre. Alright, eu disse. Dinheiro vai, dinheiro vem. No meu caso mais vai que vem, but it's alright, it's alright negão, falô, tá limpo, boa sorte. E vamos lá conhecer Sheyla-menos-um-ovário. Eu tinha um pau, duas bolas ansiosas no saco e um coração cheio de espaço pra todo amor que eu conseguisse descolar da humanidade com buceta, mesmo faltando um ovário. Acho que um pau de tamanho médio nem chega lá, de todo jeito.

Apertei a campainha do 253, 25th floor. Nada. Apertei de novo. Nada. Conferi o endereço. Certo. E nem podia estar errado: o porteiro tinha me anunciado pelo interfone. Vai ver, ela tá me espiando através de uma câmera oculta de tv, pensei, e decidiu que eu não valho a pena. Deve ter reparado no bolso descosturado do meu jeans, sem contar a sola de latex do meu sapato brasileiro que desgrudou do bico e boceja quando eu ando. Do cabelo aos borzeguins eu andava todo desfocado. Nada na moda. Roupas velhas, cabelo muito comprido pro gosto da época. Pelo menos a barba eu já tinha raspado em Paris. Ok, baby, open the fucking door, no bolso da bunda do jeans eu tenho mil e quinhentos dólares, falô? Pô, mil e quinhentos dólares não é nenhuma fortuna, mas já é o bastante pra você pelo menos me abrir essa porta. Eu ia apertar pela terceira vez a campainha quando a porta se abriu. Um carinha. Perguntou em brasileiro se eu era eu. Aperto de mão. Era magrelo, mais baixo que médio, testa riscada de cicatrizes. Deve ter enfiado a cara num pára-brisa, imaginei. Me disse: "A Sheyla tá te esperando. Entra aí."

Educado e frio, o carinha. Larguei meu bag de nylon na sala e fui atrás dele por um corredor curto e estreito que desembocava num quarto. Ao cruzar o batente da porta, fui saudado com um tiro de champanhe seguido do alarde carnavalesco de duas mulheres. A mais efusiva vestia um mini-peignoir cor-de-rosa com laço da mesma cor no peito. Era Sheyla. De joelhos na cama, ela erguia uma garrafa de champanhe babando espuma. Me ajoelhei nos lençóis de cetim branco para abraçar Sheyla e ser carimbado nas bochechas e lábios pelo seu baton roxo-faiscante. Me apresentou à outra mulher, bem mais jovem que ela: Sandra, moreninha, beijos perfumados. Não era possível: endereço, data, nome, tudo batia, mas era outro que deveria estar ali, um sósia homônimo, não eu. Boa bisca aquela Sheyla, diria minha tia Maria Pia. Ruiva fogaréu, pele azul de tão branca. Me estendeu uma flute de champanhe e eu foquei os peitos dela, dois animais irrequietos dentro do peignoir mal-apanhado na frente pelo laço cor-de-rosa. O cheiro da bebida me deu engulhos; mas não ficava nem bem recusar a champanhota comemorativa da minha chegada. Entreguei o destino ao bom God e mandei ver. Não é tão difícil obrigar o estômago a segurar champanhe francesa. Lá pelas tantas, Sheyla disse que eu parecia galã de fotonovela italiana. Retribuí o elogio comparando-a a Luz Del Fuego no auge do vaudeville brasileiro — ambas sobejavam

17

de seda, cetim e volúpias. Inda mais com esse nome de travesti: Sheyla, A Sugadora Implacável. Daí, perguntei se a sucuri estava debaixo da cama. Vedetes brasileiras sempre cobrem a nudez com sucuris. Ela gargalhou sacudindo muito as mamas fofas. Biscatão, pensei, fruta fêmea passando do ponto. Uns dez anos antes devia ter sido estupenda. Coxas pesadas, suculentas, a despeito da celulite, pés perfeitamente pedicurados. What a bitch. Em vinte minutos estávamos velhos amigos. Me sentia bem ali, diante da calcinha preta de Sheyla. Ela sublinhava suas observações galhofeiras com a mão que segurava a flute e um long-size entre dedos de ouro e diamantes. De vez em quando, ajeitava o cabelo e o peignoir no espelho da penteadeira atulhada de frascos e bibelôs, que ficava em frente à cama.

Sandra, a morena, era um tesão mignon, modelada por um vestido preto cujo tecido dava a impressão de estar sempre molhado, com um rasgo lateral que oferecia uma generosa fatia de coxa morena roliça e dura. Meus dentes se afiaram de puro instinto canibal. Seu corpo se arredondava nos lugares certos. Baixinha gostosa, Sonia Braga style. Uma cabeleira preta, ondulada e brilhante, lhe escorria farta nos ombros. Gado de raça. Supuz que fosse transa do carinha da porta. Estávamos os três sentados na cama. Eu tentava concentrar minha atenção em Sheyla, que, afinal, ia me hospedar. Mas os olhos espertos da morena não paravam de raptar os meus. Falamos de São Paulo — as duas eram de lá — de Paris, Nova York, do mundo e arredores. Papo de multicidadãos. Eu disse pra elas que o meu primeiro travelling por NY, do aeroporto até ali, tinha me botado de botina, carça cotó e pito da páia — jeca total. Me sentia uma partícula de caspa no sopé da pirâmide dourada.

E olha que eu vinha de dois anos de Paris, que não é exatamente Botucatu. Eu estava pasmo, disse às duas, pasmo. Não tão pasmo quanto dizia, porém; era só o velho truque de hipervalorizar o reino alheio para ser bem recebido pelos súditos de ego inflado. Eu soltava porras admirativos o tempo todo. "Porra, Nova York é uma horta de nabos eretos", eu disse, me referindo à concentração de arranha-céus. Elas se desmanchavam em gargalhadas coas minhas frases. Fazer as mulheres rirem é meio caminho andado pra entrar na vida delas. Brindamos, então, à horta de nabos. Luxo e galhofa. Êta nóis...

O carinha que me abrira a porta apareceu no quarto. Tinha ficado na sala ouvindo som. Me largara às moças. Eu não sabia que apito ele tocava no pedaço. Só falou "vamos?" pra morena, seco. Não olhou pra mais ninguém. Sandra respondeu "já-já", num tom impaciente. Discreto bang-bang de casal. O cara virou as costas e voltou pra sala. Sandra e Sheyla trocaram olhares. Sheyla, num gesto, incitou a outra a dar de ombros, e sussurrou: "Não vale a pena esquentar com mal humor de homem". A conversa logo retomou o pique. Eu continuava fraseando adoidado. O efeito mais notável das minhas frases faroleiras era sacudir aqueles quatro peitos pra regalo do meu olhar. O sub-texto da situação era o seguinte: Sheyla augurava me devorar ao molho de champanhe. Eu cobiçava a baixinha de vestido molhado e torcia pra que o carinha da sala se jogasse pela janela. As abobrinhas rolavam soltas no cetim. Fiquei sabendo, no correr do papo, que Sandra era Piperini, tradicional família cafeeira do norte do Paraná, criada em São Paulo até entrar na faculdade. Logo no primeiro ano de Comunicações alçou vôo pelo mundo num tapete de dólares mágicos. Senti a flor roxa da inveja desabrochar dentro de mim. Grana fácil de família é o combustível ideal pro ócio criativo. Rico, eu financiaria uma fundação sem sede nem estatutos pra sustentar os amigos vagabundos. Punha a vida da moçada na conta de um destino mais ameno. Mas, como heranças, trabalho e loterias não me acenaram nunca com fortunas, o jeito era casar de juiz e cardeal com alguma mamífera miliardária. A merda é que a minha fisiologia é burra: só a minha cobiça se alevanta à vista de dinheiro, meu pau necas. Solução: encontrar a miliardária tesuda, a miliardária apaixonante e apaixonada por mim. Até aquele instante eu nunca topara com semelhante animal. Ricaças, só bagulhos, pentelhas ou divas inacessíveis.

Bom, até ali, o único defeito de Sandra estava na sua risada que mostrava gengiva demais. Cada risada era um stripitise de gengivas. Figurei minha língua roçando naquelas gengivas molhadas. O que não figuraria, então, o dentista da moça?

Pelo janelão do quarto se via um slide nova-iorquino: cumes de arranha-céus, outdoors, luminosos apagados e um céu com tráfego pesado de aviões e helicópteros. Alucinei os anjos d'El Greco sendo atropelados sem piedade naquele céu atravancado. Então, Sheyla pediu pra Sandra apanhar mais champanhe na geladeira. Meio encoberto pela voz estridente de Sheyla, ouvi um bate-boca na sala entre o carinha e a morena. Daí, Sandra voltou pro boudoir de cetim trazendo uma Taitinger suada de frio. Enquanto eu desprendia o arame do gargalo, ela comunicou: "O Fábio foi embora. Saco que os homens são, viu..." Concordei que os homens são um saquérrimo. Concordaria com qualquer coisa àquela altura. As bolhas de champanhe já me anestesiavam a ressaca. Eu entrava de novo em bliss alcoólico. Aí, Sheyla me pediu pra enrolar um charo, "fumo colombiano, de primeira; duvido que tenha igual em Paris", ela disse. Eu, ali, tratado a pão-de-ló pelas donas endinheiradas do meu país, pensei cá comigo que o único setor interessante da burguesia era aquele, bebunado, pirado, amoral, meio anárquico, dissipando capital na boemia. Crazy granfas. Rodrigues, meu comunista predileto (tem 50 e poucos anos e queima fumo há trinta), diria, depois de um largo gole de cerveja na Panificadora, Bar e Lanches Real Dureza, que eu, ao "fazer essa colocação", hasteava a bandeira da minha incurável "pequeno-burguesice arrivistóide". Onde já se viu desculpar um segmento da classe opressora só pelo fato de seus integrantes serem drogados e sexualmente destrambelhados? "Absurdo. Ninguém foge às determinações de crasse, meu chapa. Crasse é crasse", dizia ele, ao que o portuga dono da padá, de botuca na conversa, logo concordava: "Possa crer, amigo, classe é classe, vem de berço. Um gajo com classe não dá pinga pra o santo nem cospe no chão." Ok, Rodrigues, crasse é crasse, mas me diga uma coisa com toda a tua sinceridade catimbeira: entre um fazendeiro do norte do Paraná, de brilhantina no cabelo, bota de cano, relho na mão e revórve na cinta, e essa gatinha gratinada ao sol do ócio, que provavelmente nunca viu um dos milhares de bóias-frias que catam café a troco de banana nanica nas fazendas da família dela, lá no cu do terceiro mundo, me diga Rodrigues, com quem você preferia tomar um drinque? Fala a verdade.

Fumo da Colômbia e champanhe da França. Multinacionalização do vício. Então, chegaram dois carinhas, um brasuca, outro argentino, amigos e fornecedores de pó da Sheyla. Trouxeram as duas gramas que ela tinha encomendado. 130 dólares a grama, uns dois ou três salários mínimos brasileiros. Os dois deviam ser um casal, o brasileiro sendo o óbvio pólo feminino, se bem que o argentino não era nenhum Gardel. Jorge (Rór-rê) e Paulo eram seus nomes. Jorge despejava um pouco do pó num espelho que jazia na cama. Nisso, um gargarejo eletrônico se fez ouvir debaixo dos lençóis de cetim. Sheyla puxou um walkie-talkie, esticou a antena e "hello?" Era um telefone sem fio. Passou o walkie-talkie pra Sandra: "É pra você". E cochichou: "É o Fábio". Sandra só emitia monossílabos: "hum, ham, tá, sei, não, é, já?, tá bom...". Desligou e suspirou, enfadada, anunciando que precisava ir embora. Antes, me convidou: "Quer ir ao Metropolitan na quinta ver o Wozzeck?" Topei no ato. Um herói cool esbanjaria alguns segundos antes de responder. Mas eu sempre tendi ao précox. Wozzeck... Eu ia ter que enfrentar uma ópera alemã, e de vanguarda ainda por cima. Tesão, a quanto me obrigas. Será que o tal do Fábio também ia na ópera? Porra, ópera alemã... Eu preferia um bom concerto de rock ou uma fumacenta boate de jazz. Sandra cheirou uma das duas fileirinhas que o argentino tinha acabado de esticar e se mandou, prometendo me telefonar pra combinar a ópera.

Rór-rê se vangloriava de ter conhecido Mick Jagger numa festa, ali mesmo na ilha de Manhattan. Ele era amigo da cabeleireira novaiorquina do ídolo. Eu estava diante de ninguém menos que um amigo da cabeleireira do Mick Jagger. Chocante. Eles não iam acreditar no Brasil. Me deu vontade de dizer pro argentino que eu conhecia uma prima em terceiro grau do Proust, uma senhora, dona de uma livraria em São Paulo; e que um amigo meu tinha visto John Lennon num supermercado em Londres; e que eu tinha encontrado o Cortázar em Paris, um encontro de quinze minutos com o doce gigante de olhos azuis, que ficou de telefonar quando voltasse da Polônia, e nunca mais; e que aos dez anos meu pai me levou pra ver Gagárin desfilar em carro aberto pela avenida Nove de Julho. O herói russo tinha voltado do cosmos diretamente pra avenida Nove de Julho cercada por milhares de bandeirinhas do Brasil. Mas não disse nada. Fiquei na minha, aspirando o brilho da estrela longelínea.

Daí pra frente, não lembro direito o que aconteceu. Quer dizer, lembro mais ou menos através das frestas da amnésia alcoólica. Os dez ou doze dias que se seguiram foram de completo empapuço químico. Sheyla começava a sair na rua por aqueles dias, depois da operação. Fazia tudo que era rigorosamente proibido a uma convalescente: fumar, beber, cheirar, sair para longas caminhadas. Às vezes, na rua, parava, se escorava em mim, fechava os olhos, muito pálida, dispnéica. Minutos depois, voltavam-lhe as cores e ela tocava o barco, impávida. Um dia, resbundelhou-se em plena Quinta Avenida. Ficou sentada na calçada, boca aberta, branca de morte. Botei ela num daqueles táxis amarelos c/ faixa xadrez nas laterais e voltamos pra casa. Cama, pílulas, silêncio. Duas horas depois já estava toda sirigaita sugando um charo colombiano. Capeta, a boneca quarentona. Uma coisa era certa: fogo-no-rabo, numa mulher, não tem nada a ver com o número de ovários no seu ventre.

Naquela primeira noite, Sheyla me apresentou as opções de acomodação no seu quarto & sala de alto luxo: o sofá da sala ou sua cama de cetim. A palavra cama saiu-lhe da boca num sorriso malino. Achei mais prudente o sofá, inda mais depois que ela me mostrou, num rasgo de intimidade, seu púbis raspado e tinto de mercúrio cromo, parcialmente coberto por uma tira larga de esparadrapo cor da pele. Debaixo estava o corte tentando cicatrizar. O sofá me pareceu cômodo o suficiente, além

23

do que nunca tive a menor vocação pra Dr. Kildare. Aquele fogo todo de Sheyla me assustou um pouco. Ela precisava trepar para se confirmar em vida e em fêmea. Se o bernadão me aprontasse uma falseta eu ia ter que puxar o carro do apê de Sheyla, me virar sozinho naquela zorra de cidade, pagar uma fortuna por um quartinho sórdido numa espelunca submundana, amargar fome, assalto, canivetada, tiro, o diabo. Os meus biógrafos topariam com o meu cadáver no fundo de um beco lazarento, entre latões de lixo abarrotados. No conditions. E o sofá da sala acolheu macio minhas células intoxicadas.

Não parava de entrar e sair gente do apê de Sheyla. Festa contínua. Os amigos apareciam com bolos, drogas, chás macrobióticos, livros, flores e papos do além. Uma dona da idade de Sheyla, americana, me explicou os princípios da *God Dynamics Therapy*. Ela era uma *therapriest*, uma sacerdotiza terapêuta, ou *sacerdopeuta*, empenhada na transformação das pessoas em *soulbodies* (corp'almas). Sheyla era uma das adeptas desse troço. Tinha o maior respeito por Lorna, a therapriest, e se esforçava ao máximo para se tornar uma soulbody. A God Dynamics Therapy tentava desentranhar o erotismo oculto em cada célula do corpo a golpes de massagens, vibradores, chás e fitas cassete com mensagens para serem ouvidas várias vezes ao dia. Aí, na hora que a pessoa estava em ponto de bala, em vez de se atracar com outro corpo humano, numa trepada trivial, sublimava o tesão num transe místico e "gozava em Deus". Ideal para senhoras e senhores mal-amados, como há milhões no planeta. Lorna tinha aparecido com a filha de dezenove anos e sua amiguinha da mesma idade. As duas faziam o modelito pin-up da Playboy, peitos montanhosos, muita maquiagem, calça comprida e

24

salto alto, uma loira, a outra castanho-clara, idênticas às americanas que um brasileiro médio espera encontrar nos Estados Unidos. Elas riam muito do meu inglês titubeante e me explicavam mais detalhes da God Dynamics Therapy, que, segundo diziam, não era uma religião, e sim uma técnica de "divinização do corpo". Não fumavam, não bebiam, não se drogavam, e sexo só mesmo com o deus dinâmico. Crazy americans. USA é a pátria do desperdício.

Sheyla não largava o telefone sem fio, no qual pedia coisas na venda, ou *delly*, como eles chamam lá. Champanhe, uísque, rosbife, salada de batata, sorvete, pão, suco de laranja, tudo. Era só cutucar as teclas do walkie-talkie, formular os desejos a um certo Jimmy, Joe, John, e cinco minutos mais tarde os desejos se materializavam na porta. Ela assinava um papelzinho e pronto. Sugeri a Sheyla que encomendasse um admirável mundo novo pelo telefone; a cornucópia, tão pródiga, não ia negar. Ela respondeu: "O Admirável Mundo Novo é aqui mesmo, meu bem. Você ainda não percebeu?"

Grana jacta est. Eu estava em New York City. Yeah.

●

Eu pouco saía do apê de Sheyla, pára-raio de pirados, terminal da cornucópia que nada nos negava: rango, paraísos de beber, fumar e cheirar, jornais, revistas, som e imagens — miragens. Tinha uma empregada portorriquenha que arrumava o apê, botava o café na mesa e se picava. Um vulto eficiente. Tudo que me ficou dela foi o ruído do aspirador de pó. Então, um belo dia, eu acordo, tomo café com leite e muffins aquecidos em microondas, acendo o primeiro charolito do dia ao som de rádio-rocks e funks e atendo o interfone que anuncia a visita de Gwen, a cabeleireira amiga de Jorge, a tal que tinha tesourado Mick Jagger. Parece que a moça era uma mini-celebridade entre os habitantes *in* da ilha. A despeito disso, se revelou pessoa modesta, quer dizer, ela carregava o pedestal debaixo do braço para que todos soubessem o quanto era distinguished, e que poderia estar lá em cima se quisesse, a um metro da humanidade, pelo menos. No entanto, aceitava pisar o mesmo carpete que nós outros, anônimos mortais.

Gwen deu seus dedos longos pr'eu apertar, o que fiz com o máximo cuidado, pois eram mesmo muito longos e finos, terminados em unhas compridas pintadas de um verde metálico escabroso. Seus cabelos eram arrepiados pro alto à custa de muito gumex e tinham as cores de um arco-íris acrílico. Grossas camadas de cosmético rebocavam-lhe cara e olhos. Lábios pretos de baton fúnebre. Mesmo assim, sorria, arriscando-se a trincar a face. Tinha uma voz aguda e melodiosa, e seu "pleased to meet you" lembrava um pouco o Jagger em "Simpathy For The Devil". Portava uma pequena maleta prateada onde guardava seus instrumentos. Fez "no thanks" pro charo que eu ofereci e "oh, thanks!" pro pó que Sheyla apresentou. Sheyla, de babydoll e chinelinhas felpudas, se preparava para o transe cirúrgico de um corte de cabelo pós-moderno. Gwen tinha vindo ali exercer seu métier, "my art", como ela disse, embora o clima fosse de um ti-ti-ti entre pin-up girls de folga. Então, matei uma carreirona e disse a Sheyla que ia dar umas bandas pelas redondezas enquanto ela se deixava tosar pela artista. Sheyla me jogou, em inglês: "Dear, por que você não aproveita pra remodelar o seu lay-out? Você está pelo menos dez anos atrasado." Gwen, que estava metida num macacão fúcsia (aprendi naquele

26

dia o nome dessa cor), chegou perto de mim e, com olhar clínico, testou na ponta dos dedos a qualidade dos meus pelos. Declarou: "Strong. Good. Vou fazer você ingressar na década de 80, my boy. You'll be a brand new guy." Vi que seria inútil qualquer objeção; as mulheres me condenavam à modernidade. Falei que voltava dali a uma hora e me mandei.

Tinha muito sol na rua, igual a todos os dias que passei em Nova York. Resolvi tomar umas cervas geladas antes de ingressar na década de 80. Entrei num boteco americano típico: de um lado, um longo balcão com banquetas; do outro, baias com mesinhas e bancos; no meio, uma passagem. Sentei no balcão e pedi uma lata de budweiser, que matei em três goladas, pra lavar a secura canábica da boca. Puxei o notebook do bolso da calça e tasquei: "Cuidado! Década de 80 à vista! Rapar a cabeleira, comprar jeans com bolsos nas pernas e um par de tênis all star. Acostumar os ouvidos com a azucrinação eletrônica do novo rock computadorizado. Botar banca de quem acabou de chegar do futuro num jato à laser. Perder a pança a todo custo. Tomar o máximo de cuidado pra não parecer um ridículo heterossexual babolhando pras meninas na rua."

As latinhas de budweiser foram se perfilando como as décadas na minha frente. Ao voltar pro apê de Sheyla, eu era um barril de espuma, todo arrotos e soluços. Estava munido de coragem etílica pra enfrentar a década de 80. Encontrei as duas mulheres parolando no meu sofá. A cabeça de Sheyla parecia um desses morretes pelados com um bosque no cocuruto. Esbanjei ohs e ahs e ulalás pra festejar o new look de Sheyla. Mas a verdade é que suas bochechas tinham sobressaído demais, agora que as laterais do cabelo estavam raspadas.

Gwen perguntou se eu não achava Sheyla uma bela feiticeira do Congo milenar. Achei que ela estava mais pra Luluzinha new-wave, mas jacaré confessou? Nem eu. A hipocrisia em mim é apenas uma forma de amor tolerante pela humanidade. Sentei na poltrona, de quina com as duas, e fiquei imaginando uma história em quadrinhos: "Luluzinha new-wave no Congo Milenar". Depois de miliuma peripécias na selva, Luluzinha e Bolinha caem prisioneiros de uma tribo de canibais. Luluzinha é confundida pelos aborígenes com uma deusa branca caída dos céus e se torna objeto de adoração, enquanto Bolinha é condenado a virar hamburguer congolês. "E eu que nem comi meus cornflakes hoje", choraminga o pobre Bolinha. Luluzinha se diverte com o pavor do amiguinho, até constatar que os nativos, famélicos, estão prestes a botar Bolinha nú na grelha. Ela, então, faz valer suas prerrogativas de ídola e diz que prefere comer Bolinha cru na sua tenda. Os nativos ficam desapontados, mas obedecem, e no meio da noite o casal se safa pela selva.

Numa pausa da conversa das duas, propuz um brinde de champanhe (Sheyla tinha aberto outra Taitinger). "À mais nova feiticeira do Congo Milenar". Tim-tim. Champanhe me deixava um estranho gosto de vômito debaixo da língua; eu preferia as budweisers do boteco. Daí, Sheyla disse: "E aí, Quim, pronto pra cirurgia plástica?" Fiz ok com o dedão e Gwen me mandou molhar o cabelo. No espelho do banheiro apreciei pela última vez, e já com doída saudade, meus longos cabelos românticos. Me deu um pavor de que aquela dona punk me transformasse num daqueles sofistigays nonchalants que eu via pelas ruas e bares da city. Molhei os cabelos, me achando ótimo do jeito que eu estava, e decidi: não corto porra nenhuma. A década de 80 que se foda. Mas, de volta pra sala, encarei Gwen, punkona, de pente e tesoura na mão, ao lado da terrivel feiticeira do Congo milenar, de babydoll, e afrouxei. Não tinha mais jeito, eu estava perdido. Sentei na cadeira plantada no meio da sala sobre folhas do New York Times salpicadas de cabelos ruivos. Gwen foi sintonizar um funk no rádio antes de iniciar a cerimônia de castração. Reparei que ela tinha os calcanhares ligeiramente encardidos. Quando ela se voltou, empunhando suas armas, notei o suor rompendo a crosta pesada de maguiagem no seu rosto sem idade. Mais que trinta ela tinha, isso era batata. Quem sabe quarenta. Ela veio por trás, pousou as mãos com pente e tesoura nos meus ombros — podia ver a ponta do pente no lado esquerdo, e da tesoura no direito — e disse: "Relax, my boy. I ain't gonna hurt you". Olhei pra cima e topei com sua cara quase colada à minha. Seus dentes estavam borrados de baton preto. Ela desprendia um cheiro de baú há 200 anos enfurnado num castelo escocês. Mofo, mistério, perfume. Gwen sorriu e começou a arar meus pelos molhados com seu pente não excessivamente limpo. Pensei na possibilidade de contrair a caspa do Mick Jagger. Podia ficar rico vendendo a caspa do rolling stone pros roqueiros de São Paulo. Ela disse: Well, well, o que é que vamos fazer nesse jardim, my boy?" — "Olha, Gwen, é difícil te explicar isso, mas eu não queria ficar *muito* moderno, you know? É que eu estou voltando pro Brasil daqui a uma semana e... bom... lá é terceiro mundo, né, a turma tá sempre uns passos atrás da sede do império, além do que, eu nunca fui mesmo dos mais vanguardeiros em matéria de moda..." — "Alright, alright, don't worry, my boy, estou sentindo o seu problema. Vou fazer o possível pra você entrar nos eighties sem parecer o líder máximo da pós-modernidade, if you know what I mean".

Fiquei um pouco mais tranqüilo. Qualquer coisa, eu ia lá no Geraldo, chegando no Brasil, pr'ele acertar as pontas. O Geraldão trabalhava num velho salão de barbearia da alameda Tietê, onde por dez anos cortei meu cabelo lendo Manchete — a edição de carnaval, ladrilhada de bundas era a minha preferida — e ouvindo as velhas mas saborosas piadas de sacanagem do Geraldão, um pernambucano safo da penúria da catinga na abastança dorê dos jardins paulistas.

Os dedos esqueléticos de Gwen eram firmes e hábeis no batente. Mechas grossas do meu cabelo castanho-escuro se misturavam aos tufos ruivos de Sheyla no tapete de jornal. Gwen elogiou de novo a força do meu cabelo, "damn strong, baby", o que não a impedia de tascar-lhe a tesoura sem piedade. Sentia o lado esquerdo da cabeça ficando mais leve. Sheyla me passou o charo. Pensei: será que a Gwen já deu pro Mick Jagger? Talvez tenha até feito um corte new wave nos pentelhos do ídolo. Outra preocupação idiota me assaltou: será que ela usa bidê? E como era bidê em inglês? *Ass fountain*, vai ver. Eu sentia falta de uma boa Manchete com grandes fotos coloridas de bundas carnavalescas. Considerei por um instante a possibilidade de passar uma cantada em Gwen, só para ter no meu currículo uma ex-Jagger. Foi aí que ela me perguntou se eu jogava futebol e tocava samba. Respondi que, além disso, ainda subia em coqueiro feito macaquinho pra catar côco pros turistas nas praias fluviais de São Paulo. Ouvi a risada de Sheyla pelas costas. Gwen fez: "Really?" Eu dei um tapa fundo no colombiano; Sheyla apanhou a bagana, a caminho do quarto, avisando que ia experimentar uma roupa adequada ao seu hair-style de feiticeira

30

do Congo Milenar. Eu perguntei pra minha barbeira chic se ela conhecia um samba bossa-nova chamado O Pato, The Duck, gravado, entre mil outros artistas, por João Gilberto. Ela pediu pr'eu cantar um trechinho. Eu disse que cantaria em homenagem a ela, pois havia na letra um refrão com seu nome. "Mine!?" — "Yeah", respondi, com a canastrice inspirada pelo fumo & pó & budweisers que pululavam no meu sangue. E lasquei: "O pato, vinha cantando alegremente, *Gwen Gwen*/ quando o marreco sorridente pediu / para entra também no sambá, no sambá, no sambá./ O ganso, gostou da dupla e fez também *Gwen Gwen*/ olhou pro cisne e disse assim, vem, vem/ que o quarteto ficará bom, muito bom, muito bem" — "Oh, keep quiet while singing", disse Gwen, reclamando do meu balanço; continuei, introduzindo a segunda parte com um fraseado de trombone de boca: "fon fon foooon...
— na beira da lagoa foram ensaiar para começar o tico-tico no fubá / fon fon fon fon foooon / a voz do pato era mesmo um desacato / jogo de cena com o ganso era mato / mas eu gostei do final, quando caíram n'água / fon fon fon fon fon fon! / ensaiando o vocal / *Gwen Gwen Gwen* / fon fon fon / *Gwen Gwen Gwen...*"

Gwen explodiu num riso aberto — "Great! Great!" — batendo a tesoura no pente. Ela quis saber o que significava Gwen na minha língua. Eu expliquei que na língua dos patos brasileiros Gwen queria dizer amor. "You're kidding!" fez Gwen. Aí, pediu pr'eu traduzir a letra d'O Pato. Foi foda. Pato e ganso eu sabia dizer em inglês: duck e goose. Já marreco e cisne eu tava por fora. Expliquei, então, que o pato encontrou o marreco, que é uma espécie de pato, e que ambos encontraram o ganso, e que sempre a cantar, os três convidaram o cisne, aquele patão de pescoço comprido do balé célebre, pra ir até a lagoa ensaiar o tico-tico no fubá. Foi difícil dar a Gwen uma idéia do significado profundo de "tico-tico no fubá". Daí, as quatro penosas ficaram na beira da lagoa fazendo Gwen Gwen sem parar. Acho que ela não pegou bem o espírito da coisa. "Crazy lyrics", comentou.

Bom, lá pelas tantas, Gwen me pediu que molhasse de novo o cabelo, pra ela dar o arremate final. "Acabou?" perguntei. "Praticamente", ela respondeu. Eu sentia uma bizarrice por fora da cabeça, como se os desequilíbrios do meu psiquismo tivessem aflorado ao couro cabeludo, compondo um chapéu maluco. Fui no banheiro. Me olhei no espelho. Tóinnn! — Afronta! — Escândalo! — Opróbio! — Danação! — Eu tinha virado o mais aberrante entre os mais monstruosos animais das matilhas mais subterrâneas da cidade-síntese de todas as perversões capitalistas. Agora, só me restava a marginalidade ou o suicídio. Meu cabelo pendia longo e basto do lado direito, quase como antes, só que talhado à chanel, acompanhando a linha do queixo; já o lado esquerdo estava aparado até quase o alto da cabeça. No perfil destro eu era um travesti new-wave, paródia da Louise Brooks; no canhoto, eu tinha saído um recruta Zero. Minha cara esquizofrenizava em duas porções inconciliáveis. Me imaginei sentado na poltrona do Geraldão, lá na alameda Tietê, e ouvindo ele sarrear: "Num falei? Foi pras França, vortô viado. Hê-hê!" Isso, se não me levassem direto do aeroporto pro Juqueri.

Caí no conto da modernidade, pensei. Sentia crescer a vontade de grudar Gwen pelos colarinhos e berrar nos ouvidos dela: "Escuta aqui, sua punkona butiquenta, é bom você me deixar com cara de gente de novo, se não eu vou ser obrigado a te mostrar o que os nativos da minha jungle fazem coas cabeleireiras espertinhas como você!" Eu devia ter percebido que aquela toalha amarelo-ovo que ela tinha posto nos meus ombros era a capa do Capitão Trouxão. E pensar que eu ainda ia ter que sangrar minhas divisas pra pagar *aquilo*. Merda! Mas eu não era capaz de atitudes violentas. Molhei meus pobres pelos avacalhados pela maldita modernidade e voltei pra sala. Sentei na cadeira sacrificial coa maior cara de bunda desse mundo. A delicadeza é que me mata. Por delicadeza só faço cagada. Sheyla, num modelito preto longo e máxi-decotado, e Gwen, a grande castradora de macacão fúcsia, cafungavam com uma nota de dólar no tampo de acrílico da mesinha de centro. As duas olharam pra mim. Devolvi-lhes meu olhar de boi precariamente resignado com o matadouro. Gwen perguntou: "Como é, gostou?" — "Bom, eu... achei interessante... I mean... talvez eu tivesse uma ou duas sugestões a fazer, se você permitisse..." Minha voz saiu acachapada pela depressão. Então, a Feiticeira do Congo Milenar e a Grande Castradora Fúcsia se entreolharam e explodiram numa gargalhada uníssona. Meu coração se desmanchou de alívio. Sim senhoras...

Daí, pra encurtar o assunto, Gwen tosou também o lado direito, mais ou menos igualando-o com o esquerdo, e eu acabei ficando com cara de menino bem comportado dos anos 50. Meus velhos, pela primeira vez em quinze anos, iriam me achar decente — o que de fato aconteceu. A modernidade novaiorquina tinha um pé na caretice paulistana de um jeito absurdo que eu não chegava a compreender direito. Se é verdade que as modas são cíclicas, então os redutos passadistas de hoje são armazéns dos signos que fatalmente estarão na moda amanhã. Questão de viver pra ver. Depois do corte, mal sentindo a cabeça sobre o pescoço, de tão leve, convidei Gwen prumas budweisers na es-

33

quina. Ela agradeceu, jurando que estava super ocupada, quem sabe some other time. Depois, com aqueles seus dedos sexy-macabros de Maga Patalógica, aprumou meu recente topetinho e garantiu que New York não resistiria quando me visse. Aí, eu perguntei quanto era, já pinçando a grana do bolso, quando Sheyla, com um "excuse me" azedo, se interpôs entre nós, depositando nas mãos da moça, com a máxima discrição, um envelope branco. Quando Gwen se mandou, deixando um pouco de seus lábios pretos nos meus, Sheyla me informou sobre o conteúdo do envelope branco: 160 dólares, 80 dos quais eu lhe devia. 80 dólares por um corte que o Geraldão me faria por cinco — e em cruzeiros. Bom, foda-se, pensei; pelo menos não fiquei com cara de sioux lobotomizado; só um pouco aviadado, mas tudo bem, sinal dos tempos. 80 dólares foi o preço da passagem pra década dos 80; só espero em 1990 não ter que pagar 90. Melhor mesmo é me instalar numa década qualquer e ficar lá quietinho.

Foi pensando nessas coisas que eu acendi a bituca do bom colombiano e inflei os pulmões de coragem e maconha. Sheyla me convidou pra ir com ela não sei onde. Eu estava louco pra que a nova década me visse de cabelinho bidú-legal, conforme dizia a molecada dos anos 50. Imaginava tempestades de papel picado, aplausos, pedidos de autógrafo à minha passagem. Ok, ok, N'York, you fucking city, here I go. Segura!

•

Lá fora era só yellow cab de baixo pra cima, restôs, bares, lojas, tudo com a marca *the best* estampada em cada detalhe. Em NY fiquei sabendo no duro o que é o tal fetiche da mercadoria. Tem de tudo pra todas as taras consumistas. As vitrines reluzem de seduções, os objetos piscam pros passantes, mas os preços, como em todo lugar, defecam nas mãos ávidas. Um mundo táctil-visual onde nenhuma idéia é necessária. Manhattan é um acampamento de fregueses. Minha grana ia rapidamente virando troco, tilintar de moedas no bolso. Eu andava meio trôpego pelas ruas da multicity, sabendo muito bem que a memória não ia reter quase nada das cenas flagradas pelo meu cine-olho. Minha cabeça era uma câmera sem filme. A memória não era mais minha companheira. A maconha e o álcool ajudavam a impedir que o presente virasse passado. Eu queria que o tempo presente se dissolvesse em si mesmo, espuma, bolha, bliss, brisa, angústia, vazio, esquecimento.

25 dólares por uma volta de helicóptero sobre Manhattan. Lost-angel terceiro-mundano sobrevoando o paraíso dos outros. Um dos truques do piloto era voar abaixo do nível dos prédios, aumentando a sensação de megalomania priápica da cidade. Outros helicópteros zanzavam à nossa volta, e eu, mórbido sindicalizado, logo construí a cena do choque aéreo: crash, gritos, fogo, queda, vertigem, carne triturada, sucata sangrenta em Times Square. Fim sensacional prum escritor inédito. Mas o helicóptero pousou manso no topo do arranha-céu e um elevador supersônico, que me fez morder o estômago, depositou minha personalidade intata no chão da ilha, por onde, aliás, andavam as mulheres. Eu desejava demais aquelas mulheres todas, intelecas, hipongas, guerrilheiras, granfinas, secretárias executivas, business women, junkies, putonas, new waves, skin heads, punkráceas, caretas, brancas, negras, chicanas, asiáticas, cucarachas, esquimós, vitais, moribundas, elegantes, desengonçadas, sapato-

nas, femininas, felizes, desgraçadas, todas, todas. A morte não existia, nem a idéia da morte. Só sexo. Eu queria sexo 29 horas por dia — e cadê sexo?

Sandra Piperini apareceu uns três dias depois do nosso primeiro encontro, ela e o Fábio, pra irmos ao Metropolitan ver a ópera Wozzeck. História dum soldado que mata a mulher por ciúmes e depois se afoga num lago, algo assim. Sandra valia o sacrifício. Sheyla estava sem energia pra encarar um teatro; íamos só os três, o casal e eu. Estouramos uma bomba colombiana no apê da rua 59 e tocamos pro teatro. Eu não precisava me orientar em Nova York, pois tinha sempre alguém me rebocando de lá pra cá. Non duco ducor, o contrário do lema paulista. East, west, dava no mesmo, não sabia nome de nada e os nomes que ouvia eram puros sons sem localização no espaço. Eu ia conduzido desabutinado olhando sacando esquecendo os meandros geométricos daquele diagrama. Não conhecia ninguém em parte alguma, nem ninguém me conhecia. Eu era Mister Nobody chafurdando no anonimato.

Sandra cintilava numa roupa chinesa de seda preta, calça larga e casaquinho, com firulas e ideogramas bordados em cores vivas. Eu ia durangopop, como sempre, de sapato boca-de-jacaré, jeans e camiseta nova comprada numa pornoshop onde Sheyla me levara. A camiseta trazia um letreiro no peito: Nobody Does It Better. Meu cabelicho anos 80 não mereceu mais do que um breve reparo de Sandra. Azar. Ainda não era dessa vez que meus 80 dólares iam render juros na nova década. Fábio, mal me lembro dele, só que ia casmurro, ele e suas cicatrizes. Sandra me contou depois que ele tinha dado uma porrada na marginal do rio Pinheiros, anos atrás.

Sentamos na platéia do Metropolitan entre

gente cheirosa e elegante. Decotes e pérolas em volta. Mas ninguém parecia ligar pro meu esculacho pop. Eu levava um pouco de pó num inalador de bolso. De vez em quando, dava uma prise discreta. Snif. Ninguém sacava. Snif. Se sacava, não chiava. Snif, snif. Passei o inalador pra Sandra que snif também. Fábio não quis. Fábio tentava pegar a mão de Sandra que se desvencilhava dele. Eu não ligava pra nada, Fábio, ópera, volta ao Brasil, nada. Queria Sandra. A ópera começou e desde logo foi uma revoada de urubus dodecafônicos. Sombria, ameaçadora. Grandiosa e pentelha. Saí pra refrescar o saco no foyer. Tinha uma patota de desertores lá, todo mundo no bar de copo na mão. Êta raça de bebum. Como é que esses caras conseguem dominar metade do mundo bebendo desse jeito? Sentei numa banqueta de veludo, junto ao balcão de mármore, pedi um bourbon e fiquei lucubrando no caderninho que eu sempre trazia no bolso. Escrevi: "Anestesia na veia pra encarar a realidade na lata, urgente, plis. A seco, só martini." Matei o bourbon e pedi um dry martini. Nessa época eu não agüentava padecer nem cinco minutos de culpa, tédio, tristeza, banzo, angústia, medo, rejeição; eu me rebelava, acendia um charo, ia no cinema, botava um rock na vitrola, batia uma punheta, bebia um bar, qualquer coisa que me ajudasse a catar o porco-espinho à unha. Meu psicanalista, em São Paulo, me recomendava parlamentar com a dor psíquica, nunca fugir dela, pois a dor sempre acha um jeito de te pegar numa curva do rio. Ele tinha razão; mas o que tem com a razão quem quer viver um paraíso a qualquer preço, mesmo que artificial? De vez em quando, eu até encarava uns bodes, claro. Claro não, escuro, negro total. A noite caindo com estrondo surdo no peito, os bodes erguendo a cabeça chifruda do pasto e me encarando com olhos de estrume. É quando o coração pára em diástole, sangue represado, pressão de mil léguas submarinas no peito, vontade de furar o coração a tiro pra morte jorrar vermelha. Muita lucidez sempre acabava em pânico; eu, então, escorregava pra translucidez das drogas e das artes. Sem ofícios. Me favorecia uma circunstância especialíssima de vida: grana fácil no bolso, alguma saúde no corpo, tempo livre. Realidade era a vida dos outros.

Palmas civilizadas eclodiram na platéia. Tinha acabado o primeiro ato da ópera. Sandra e Fábio vieram me encontrar no bar debruçado sobre o copo e minhas distraídas reflexões no caderninho. Aproveitando a ida de Fábio ao banheiro, joguei pra morena: "Escuta, e se a gente se mandasse prum pub de jazz? Meu coração tá palpitando de ansiedade cocaínica, num güento tanta culllltura, preciso urgente duma massagem pop na alma." — "Eu tô gostando do espetáculo. Meio pesadão, mas legal." — "Ah, vam'bora. Larga o meio pesadão e vamo pegá leve por aí. Cê já ouviu falar do Five Oaks? Tem um jazz da pesada lá. Depois cê pergunta pra alguém como acaba essa merda, digo, essa ópera, digo, essa merda, digo..." — "Mas, quê que eu faço c'o Fábio?" — "Essa é uma missão pro demônio. Invoca o das trevas e pede um help, baby." — "Meu medo é que o demônio teja aqui na minha frente", disse ela, me olhando de chapa no olho. Plaf. Senti um sopro no coração. Ecce woman! Daí o Fábio voltou do banheiro comentando o primeiro ato da ópera. Ele era mesmo um cara muito culto, inteligente, fino e chato. E rico. Acho que o melhor nele eram aquelas cicatrizes na cara, sua cota visível de risco na vida. Então, soou a campainha, chamando a turma pro segundo round de erudição sonora. Sandra foi correndo com o meu inalador pro banheiro. Fábio me explicava a oposição entre um revolucionário como Alban Berg e um contemporizador como Stravinsky, "de um ponto de vista adorniano, é claro". Eu fiquei abanando a cabeça e ouvindo ele falar até que Sandra voltou coas narinas fibrilando e os olhos vidrados. No segundo toque Fábio resolveu voltar pra platéia e perguntou se eu não ia entrar. Eu disse que ia dar mais um tempinho ali com o dry martini e o notebook. Ele disse até já, virou as costas e eu dei uma piscada canastrona pra Sandra, que me devolveu um sorriso cafageste. Senti um vermelhão me embandeirando a cara. Mulher é foda, meu; pior, só mesmo homem. Fiquei ali no balcão, à salvo da ópera, bebericando e empinando a alma nas nuvens, minh' alma de circo: evolui no trapézio, dá salto mortal, cai de pé no chão, cospe fogo, faz palhaçada, tira coelho da cartola, doma as feras, agradece os aplausos e some no nada.

Foi aí que alguém me tocou no ombro.

●

Se uma namorada me fizesse o que a Sandra fez com o Fábio, largar o cara plantado numa poltrona do teatro à mercê de uma ópera alemã pra ir gandaiar com um sujeitinho à toa, eu ia ficar mais é puto da' vida, com inclinações homicidas. Mas, não era eu, era outro que estava naquela sinuca. E eu nem era amigo dele. Então, foda-se, decretei no departamento ético da minha consciência. Pegamos, Sandra e eu, um amarelão na frente do Metropolitan e saímos xispando pelas ruas luminosas do inferno que os paulistanos pedem a Deus todo santo dia.

No táxi, acabamos com o pó do vidrinho. Inda bem, pensei, enquanto tem não paro de cheirar;

depois, é aquela trava geral: dentes rangendo, musculatura concretada. Viro um pedaço de pau com olhos esbugalhados. É aí que pinta a marcha-à-ré da euforia. Enxames de abelhas africanas ferroando meu coração. Não há consolo no desespero químico. É esperar que as horas passem, e as horas não passam. Maconha e álcool, ao contrário de pó, primeiro enlouquecem, depois hipnotizam o cidadão. Porre e sono, a receita ideal. Enfim, tudo vale a pena, se a alma der conta da ressaca no dia seguinte. Eu trazia um beise enrolado no bolso. Mostrei o artefato pra Sandra, que fez obá, pegou o charo, um isqueiro e perguntou pro chicano que dirigia o táxi: "Hey, mister, do you mind if we light a little stick in here?" — "Go on", foi tudo que o cara respondeu, dando um look rápido na gente pelo retrovisor. Sandra acendeu a bomba. Descansei o braço no encosto do banco, por trás da cabeça morena da minha comparsa. Ela caiu pro meu lado, se aninhando debaixo do meu sovaco. Deixei meu braço escorregar do encosto pros ombros dela. Minha mão acariciou um pedaço de braço peludo que escapava da manga de seda. Podia sentir em braile seus pelos se arrepiando. Rodrigues, o velho comunista da padaria Real Dureza, é quem dizia: "Morena boa é a peluda". Tesei. Dei um tapa brioso no charo, na mão dela. A cidade pela janela eram manchas velozes de luz. A vida seguia em frente, pressionada pelo trânsito. Cantarolei: "Life goes on in your mind, life goes on in your heart..." Ela virou a cara pra mim. Eu abri um sorriso besta pra ela, que não me devolveu sorriso nenhum, mas ficou me olhando de beiço bambo. Um beijo disparou sozinho. Smack! Atolado nos lábios de Sandra, ouvi o chofer murmurar lá na frente: "Alright".

Paramos na frente do Five Oaks, um buraco de jazz famoso no Village. Ficava num sub-solo. Lá embaixo, dry martinis e uma velha crioula chamada Maria cantando blues comovidos e se acompanhando ao piano, tipo Clementina de Jesus americana. Novos beijos em Sandra Piperini, a morgadinha dos cafezais do Paraná. Ali estava um belo exemplo de como o suor dos bóias-frias do norte do Paraná podia virar dry-martinis com jazz numa boate em Nova York. Isso eu penso agora; na hora, só bebia, beijava e escutava all that jazz. Fui mijar, uma hora, encarei a privada, aspirando o mesmo fedor excremental de qualquer latrina de boteco em São Paulo, e vomitei bonito. Quem muito se empapuça vomita pra caralho, diz o dito popular. Várias golfadas amarelo-esverdeadas. Fiz gargarejo na pia. Vomitei de novo. Outro gargarejo. Achei melhor não me olhar no espelho. Encarei os azulejos encardidos e perguntei: "Azulejo, azulejo meu, tem alguém mais torto do que eu?" Os azulejos não falavam português e nada responderam. Por fim, mijei e voltei pros blues da Maria, pras beijocas da Sandra, pro dry-martini que me asseptizou a boca. Lá estava eu em pleno e rasgado namoro. Êta nóis...

Vários martinis blues beijos depois, escalamos a longa escada empinada que dava acesso à noite do Village, deixando pra trás a voz black & blue de Maria e seu piano swingado. Sandra subiu na frente e sua bundinha de seda preta requebrava na minha cara. Eu achava que a nossa intimidade já era profunda, a gente era o casal primeiro da criação, ela desde sempre minha, eu desde sempre dela, simbiose total. Vai daí, empalmei com firmeza uma nádega macia, quente, úmida, dela. Teria mesmo arriscado uma mordidinha naquela bunda sedosa se ela não tivesse se virado, brusca, e me lançado, lá de cima, um olhar acutilante de altiva indignação. A vergonha me congelou o estômago, perdi o equilíbrio, por pouco não rolava escada abaixo.

Na rua, tentei passar-lhe um braço pela cintura pra atravessar a rua, mas ela tirou o corpo fora, dura, sem olhar pra mim. O encanto tinha ido pras picas. É, ponderei, não pegou nada bem aquela passada de mão na bunda. Que nádegas fricoteiras, sô. Tinha um monte de gente na rua, bebuns, patotas ferozes ou só alegres de garotos brancos e blacks, gente geral que eu não sabia decifrar pela aparência. Minha impressão era que todo mundo ali estava envolvido em altas transações ilícitas, malandragem, apronto, zoeira, tráfico, putaria. Tinha também uns tipos lesados, mendigosos, muito parecidos com os beleléus da Paulicéia. Um deles veio em ziguezague na nossa direção, mamando numa garafa envolta num saco de papel pardo. Vinha num tal embalo que a gente teve de saltar cada um prum lado pra ele passar no meio, alheio ao universo. Todos os fodidos do mundo se parecem, como os ratos e as baratas. De vez em quando, pintavam uns cops, quépe hexagonal de banda, mão descansando na coronha do berro preto, pose nonchalant de pistoleiro. Escancaravam olhares pra cima de Sandra, os John Waynes calhordas, um deles cum cigarro torto no canto da boca. Bloody cops. Não pareciam proteger nenhuma legalidade. Eram só uma tribo a mais na jungle. A gente navegava em silêncio, entre bêbados e drogados à deriva, e putas, viados profissionais, chicanos enfezados, crioulos transbordando músculos com gravadores enormes berrando funks & souls & rythm'n'blues, e patinadores, vampiros, orientais de tinturaria, hippies, punks, skinheads, guys and girls recortados dos magazines dos anos 50, junkies sombrios, zumbis, anciões, pivetes, everybody, enquanto no asfalto rodavam táxis amarelos, motocicletas invocadas, limosines mafiosas — homens e mulheres, ruas e máquinas, vasta noite americana.

Sandra tinha esfriado comigo. Sim, mamãe, pisei na bola, porra mamãe, é assim tão grave passar a mão na bundinha da namorada? Um erro. Pior que um crime, segundo Balzac. Certas mulheres não perdoam. Continuamos andando, calados. Não sabia se ela esperava desculpas. Não me imaginava dizendo: baby, desculpe a mão na bunda, hein, foi sem querer. "Foi sem querer" é péssimo. "Não foi por maldade" é pior ainda. Agora, cá entre nós, qual a diferença entre beijo e mão na bunda? Mão na bunda por cima da roupa é até mais higiênico.

Na travessia lenta dos quarteirões o papo foi engrenando de novo. Ela começou a me contar de um livro que andava escrevendo. Merda, basta você escrever um livro que todos os brasileiros resolvem te imitar. O livro de Sandra era a história de um personagem fantástico que ela conhecia desde a infância, espécie de amigo invisível. Se chamava Vanderbim, o personagem. Perguntei se não era irmão do Aladim. Ela riu pela primeira vez depois da fatídica mão na bunda. Bom sinal. Mais vale uma piada sem graça espontânea que um pau na mão quando cedo se madruga. I mean... Vanderbim vivia num planeta distante, falava com plantas e animais, e nas noites de lua magra voava espalhando luz pelo espaço. Vinha às vezes à Terra levar um lero com Sandra. Quer dizer, não era bem Sandra, era uma menininha muito rica que não achava a menor graça na puta da vida e vivia na maior tristeza. Sua única alegria eram esses idílios com Vanderbim nas noites de lua magra. Sandra me contava essa história cuma vozinha de fada madrinha de desenho animado. Me deu vontade de perguntar em que ramo atuava o Vanderbim lá no planeta dele; Vanderbim não era nome de quem tivesse carteira de trabalho assinada. A menina rica morava num casarão imenso, no Morumbi eu imaginava. Nas noites de lua magra, a menina, de nome Titliana, ia pro terraço da mansão e contemplava, ou melhor, perscrutava o firmamento em busca da luz de Vanderbim. Na verdade, era o coração de Vanderbim que emitia aquela luz de potência transgalática que só duas pessoas podiam ver na Terra: Titliana e um certo professor Baroni, astrônomo. Esse Baroni era tido como louco lírico no clube dos astrônomos, pois jurava de pé junto que havia lá no céu, nas noites de lua magra, uma luz errante, visível a olho nú, feita de energia iridescente e mistério cru. Nem os mais potentes telescópios lá do Monte Palomar, nos States, conseguiam captar sinais da luz do professor Baroni, que também passava em brancas nuvens pelas objetivas dos satélites. Os astrônomos passaram a chamar de "efeito Baroni" a uma síndrome alucinatória relativamente comum nas pessoas que vivem de olho grudado nas estrelas. Titliana calava o seu segredo. Baroni em vão alardeava a sua descoberta. Virou o gagá oficial do clube dos astrônomos. Só não ousava confessar que a visão da luz lhe enchia de uma felicidade esquisita, uma espécie de comichão gostoso nos cafundós da alma. Baroni calculava que a luz demorava 700 bobilhões de anos para chegar à Terra. Seria emitida por Letícia, uma galáxia extinta. A luz vinha, portanto, de um passado impensável para a mente humana, de tão remoto. Baroni atribuía a felicidade que o inundava ao avistar a luz de Letícia às ondas infraopiáceas que atravessam o universo e poderiam estar sendo canalizadas pelo fenômeno luminoso. Qualquer coisa assim. Só Titliana, que não ligava pra ciência, conhecia a verdade. Só ela tinha o poder de convocar Vanderbim, que não dava a menor pelota pro professor Baroni. Vanderbim intuía a existência dele, mas não fazia a menor questão de conhecer nenhum ser humano além de Titliana. Claro, pensei, a guria era fresca, bela, sensível, cheirosa e tudo mais, sem contar o pai latifundiário; que necessidade tinha o Vanderbim de conhecer o velho Baroni, careca e barrigudo, mero assalariado do observatório? Nesse ponto, interrompi a narrativa de Sandra pra dizer: "Que estória mais linda, Sandrinha. Um barato! E... ó... desculpe o lance da escada, tá? É que o pó, o fumo, o gin, o jazz... o desejo... me transformaram num fauno de subúrbio." Ela disse: "Tudo bem. Na hora me pareceu um pouco agressivo, só isso. Me assustei." Pensei cá comigo: se fosse o Vanderbim cê deixava, né, safada? Falei: "Claro, cê tem toda a razão. É que... sabe o que é, Sandra..." Ia dizer "acho que tô te amando", mas brequei em tempo. Ia ser outra cagada. Eu-te-amo convoca as FÚRIAS, as TREVAS, os ABISMOS e, sobretudo, os ETCs. Eu-te-amo pode detonar também um ridículo avassalador. Eu-te-amo é foda. Assusta muito mais que mão na bunda, com a agravante de que era mentira.

O fato é que a barra foi ficando bem mais leve, e até nos voltou um pouco da euforia anterior. Cruzamos uma praça, a Washington Square, apinhada de gente morena, rastas de trancinhas, percussionistas, saxofonistas e guitarristas negros, bolivianos tocando flautas e quenas, crioulões maciços patinando ao som dos funks de seus gravadores stereo portáteis, uns carinhas queimando impunemente enormes cornetos de maconha e hash. Tinha uns cops ao longe, margeando a praça, na deles. Não pareciam muito interessados no que acontecia lá dentro. Tinha também uns hippies com seu comércio de ninharias. Coisa engraçada os hippies: Formam uma tribo internacional, se reproduzem no corpo e na cultura, habitam um tempo estagnado, o tempo da utopia e da falta de coisa melhor pra fazer. Diva, minha amada junkie, que eu conheci depois, já de volta ao Brasil, alimentava um desprezo soberano pelos hippies, e planejava exterminá-los com over-doses de heroína aplicadas de sopetão por comandos junkies na rua. Ela ficava remedando "ê bit-cho, tudo joínha, numa naice mesmo?" com sota-que italianado de hippie da Moóca, e eu cagava de rir. Mas, naquela hora eu ainda não conhecia Diva, isso era o futuro, que naquele momento pouco me importava, embora uns medos prospectivos me as-solassem de vez em quando, na aridez dolorida das minhas freqüentes e devastadoras ressacas polidro-gais. Agora, era a Washington Square e a zoei-ra das etnias terceiro-mundistas no abafamento da madrugada de agosto. O lugar cheirava a crime e sacanagem. A camiseta suarenta me grudava no corpo. Começava a me faltar gás. Foi então que to-pamos com um crioulão rasta, alto, magro, ombru-do, de cara angulosa e messiânica. Trancinhas apa-nhadas em contas coloridas jorravam do centro de sua cabeça de Leão da Judá e ficavam bailando ao sabor da ginga do cara. Essa figura parou a uns cinco metros da gente, abriu os braços em cruz, a boca em sorriso de aleluia, e avançou na direção de Sandra. Porra, pensei, quê que eu faço agora? Daí, vi que Sandra também tinha se abrido toda pro cara. Deram um lindo abraço giratório, os pés de Sandra no ar. Peter, jamaicano, amigo e prová-vel transa eventual dela. Me deu um cumprimento black, encaixe de mão de quem vai jogar braço-de-ferro. Peter apresentou pra gente um corneto quei-mado pela metade de uma pure and sweet jamai-can weed. Dei uma bola; meus bofes se abrasaram e minha cabeça sputinicou pro infinito. Moleza nas pernas, bambiei. God. Valei-me São Vanderbim. Pe-

46

ter chamou a gente pruma festa ali perto: "C'mon, it'll be damn wild." Mas Sandra disse que estava com muito sono, ia dormir, "I'll give you a ring, Pete, bye, bye". E se despediu do rasta com um suculento beijo na boca.

Pegamos um táxi, Sandra disse o endereço pro chofer, e eu nem reparei se era o meu ou o dela. Fiquei na minha, padecendo de um terrível abilolamento neuro-gástrico. Tudo fora de foco. Precisava vomitar de novo. Uma dorzinha ia me roendo a testa por dentro. Sandra me contou mais uns lances da estória do Vanderbim, mas eu quase não prestei atenção. O táxi parou na porta dum prédio baixo, sombrio, da rua 21, onde ficava o loft da moça. Nunca tinha visto um loft, diziam que era o troço mais elegante de se morar em Nova York. Ela pagou o táxi. O dente do sizo, que eu não tinha ainda extraído, me recomendava seguir direto pra casa de Sheyla. Minhas condições de vôo não estavam favoráveis a nenhuma transa decente. Mas, só pra conferir, perguntei se ela não tinha engov em casa. Sandra respondeu que todo brasileiro pergunta isso, "parece até que engov é a salvação da pátria". Não, ela não tinha engov, mas podia fazer um café e me arranjar uma aspirina, dava na mesma. Descemos juntos do amarelão.

O elevador era enorme, todo de ferro, um velho elevador de carga. Ela explicou que ali tinha sido uma fábrica antes, cada andar um pavilhão; nos últimos tempos é que tinha virado prédio residencial, mil e duzentos dólares por mês de aluguel, mais do que eu recebia na França do instituto que me dera a bolsa. A porta de entrada do loft era de ferro também, revestida cum poster do homem-aranha em tamanho natural. O espaço do loft não era normal. Um vasto salão que ia daqui à puta que pariu, largão, pé direito altíssimo. Tinha um mesa-

47

nino onde ficava um ateliê. Pra ir dum extremo ao outro do loft você tinha que levar marmita pra não passar fome no caminho. Perguntei a Sandra se ela pegava táxi pra ir ao banheiro, que ficava no fundo. Tudo ali era chic-retrô-pop-pós-industrial-arte-sanal-e-coisa-e-tal. Luminárias neón espalhadas pelo chão c/ abajur de saiote rendado c/ plantas espalhafatosas c/ esculturas neo-clássicas c/ pedaços de out-door colados na parede c/ manequins montando guarda c/ móbiles despencando do teto c/ uma cabeça de tigre de bengala empalhada c/ um cabide belle-époque cheio de chapéus esdrúxulos e guarda-chuvas pendurados. A cama era saldo de alcova de sultão; ficava debaixo duma tendinha de pano indiano sustentada por quatro paus. No meio dos lençóis embolados tinha uma maquininha de enrolar fumo e um maço de sedinhas rizla francesas. Cama de marquesa rolling stone. Pensei comigo que bom mesmo era dar uma discreta vomitada, tomar cinco aspirinas, um litro de café, dois de água gelada e, depois, ficar boiando naqueles lençóis perfumados, juntinho do corpo high-class da minha nova amiga. A vomitada, pelo menos, eu já ia providenciar.

O banheiro era a única peça do apê separada por paredes. No fundo, pensei eu com meu melhor despeito petit-burguês, aquilo não passava de uma super quitinete, igual às da rua Maria Antônia onde eu ia prevaricar e dar as primeiras bolas no fim dos 60's. Loft. Parecia onomatopéia de peido aguado esse nome: loft.

Vomitei bonito na privada. Gastei um bom tempo pra descobrir onde dava a descarga, um botãozinho ali atrás. Passei pasta de dente na boca e fiz vários gargarejos bochechados. Fui encontrar Sandra produzindo café numa máquina elétrica. A dor de cabeça aumentava. Tomei três aspirinas bufferin com café forte enquanto ouvia mais estórias do Vanderbim. Ela me mostrou umas ilustrações das estórias do Vanderbim feitas por um amigo dela, um americano, "que, aliás, mora aqui mesmo no prédio". Eram umas aquarelas lindas, com paisagens de montanhas áridas, recortadas contra um céu lisérgico, com pássaros estranhos e nuvens bizarras. "Cadê o Vanderbim?", perguntei. Sandra riu e disse que só ela podia ver o Vanderbim, o amigo invisível. Ela e raríssimas pessoas. Eu disse: "Sei..." Ela, então, mencionou uma grande tragédia na vida do Vanderbim. Um dia, lá no planeta dele, Vanderbim sonhou que seu coração luminoso ia explodir e aniquilar o planeta em menos de um segundo. Isto por causa da intensa concentração de energia cósmica no seu coração. O planeta de Vanderbim se chamava Letícia, justamente o nome que o professor Baroni atribuía à suposta galáxia extinta. O sonho de Vanderbim poderia não passar de um simples pesadelo, que com o tempo se dissolve na memória, não fosse o fato de que em Letícia os sonhos das pessoas se transformavam cedo ou tarde em realidade. Vanderbim sabia que se permanecesse em Letícia estaria condenando seu povo à extinção. Por isso, passava a maior parte do tempo zanzando pelo universo. Comentei: "Pô, que enrascada", e ela me olhou com certo desprezo, ciente de que eu era mais um dos intranscendentes que jamais avistariam Vanderbim.

Uma hora lá, ela se lembrou que tinha de tomar o remédio. Eu, de enxerido, quis saber que remédio era aquele, se não seria bom prum pobre fígado malhado como o meu, ou então se não dava algum barato. "Nada; é só um antibiótico banal", ela esclareceu. Daí, disse que planejava fazer um filme de animação sobre o Vanderbim, com a ajuda do amigo americano. Eu falei "que ótimo" e pedi licença pra me esticar um pouco na cama do sultão, que eu tava me sentindo super estranho. Ela não gostou muito da idéia. Saquei que tinha sapo naquela sopa. Ela relutou, mas deixou: "Tá bom, um pouquinho só então". Acabou confessando o que eu já desconfiava: ela tinha um causo recém começado com o artista americano. O cara podia pintar a qualquer momento. Então, dançou, pensei; como é que eu ia competir com um artista americano? Eu não tinha loft, grana, fama; só um romancinho num saco plástico e o meu nôutbuq no bolso da calça e um pau ansioso na cueca.

E o Fábio Scarface? Devia estar lá no Metropolitan procurando a Sandra debaixo das poltronas, no palco vazio, nas cochias, na bilheteria, nos bolsos da farda marechalesca do porteiro, atrás dos cenários sinistros do Wozzeck. Se cruzasse com o fantasma da ópera, era bem capaz de agarrar ele pelos colarinhos e berrar: "Cadê minha mulher?! Quem roubou minha mulher?! Quero minha mulher!" Rejeição amorosa é coice no saco d'alma. Quem ainda não experimentou não perde por esperar.

Mas eu tinha que deitar de qualquer jeito, não me agüentava mais nas pernas. Não fosse na cama, ia ser no chão, não fosse no loft, ia ser na rua. Os últimos dias parisienses e esses primeiros novaiorquinos tinham me botado a nocaute. Qualquer meia-dúzia de degraus me deixavam o coração estrebuchante. As ressacas demoravam cada vez mais pra passar e, em geral, só passavam ao emendar com o porre seguinte. Cocteau tem razão: a ciência, ao invés de só investir na pesquisa de novas curas pros vícios, devia mais é cuidar do aperfeiçoamento das drogas, pra que dessem menos xabu. Menos xabu e mais zoeira. Tirei o sapato e me estirei na cama de Sandra. Na vitrola tocava um jazz espacial, sax nebuloso com xilofone etéreo. Fechei os olhos e ingressei num redemoinho de náuseas. Ecos embaralhados, fusões de imagens, vagas de enjôo. A partir daí não lembro de mais nada.

Acordei minutos ou séculos mais tarde com Sandra me sacudindo forte: "Acorda! Acorda Quim!" Eu não conseguia descolar as pálpebras dos olhos. Por uma fresta visgosa, aberta a custo, vislumbrei um vulto de mulher; demorei pra reconhecer Sandra. Num esforço monumental, ergui um pouco o tronco, apoiado nos cotovelos. Constatei que eu estava sem camiseta e só tinha uma perna enfiada na calça e na cueca. Quer dizer, eu estava tecnicamente pelado, coa genitália ao relento. Pé com meia, pé sem meia. A cabeça, não sei onde estava; rolava pela cama, pelo amplo espaço do loft; rolava pelo tempo, desbucetada. O bambolê oscilando no meu estômago, o gosto de pasta de dente e bílis na língua, uma fraqueza pesada — tombei novamente. Sandra me puxou pelo braço, caí da cama. "Cê tem que ir embora, Quim, tem que se mandar agora mesmo. Desculpe, mas é que..." Me arrastei por léguas de malestar até o banheiro, calça e cueca enganchadas numa perna, resmungando impropérios: "Porra, isso não é jeito de tratar um serumano. Shit. Catso, porra." Enfiei a cabeça debaixo da torneira da pia; a água fria me devolveu alguma lucidez. Sentei numa banqueta de plástico e fiquei tentando botar a calça de novo. Enfiei a perna pelada na perna de pano, mas não conseguia puxar a calça até a cintura. Demorei um bom tempo até descobrir que a perna da calça estava do avesso. Fiquei de pé, tanto quanto possível. Numa das tentativas saltitantes de enfiar a perna na calça, perdi o equilíbrio e levei um puta tombo. Bati a cabeça de raspão na beira da privada. A dor aguda acabou de me despertar. Percebi que, agora, era a cueca que atrapalhava. Arranquei

51

a cueca na marra e joguei ela na pia. Consegui, por fim, me ver calçudo de novo. Não teve jeito de fechar o zíper. Enfurecido, saí do banheiro num vigor insuspeitado prum moribundo e arremeti pra porta de entrada do loft, sem me despedir de Sandra. Puxei a maçaneta com força, mas a porta não abriu. Girei a chave e puxei de novo, com mais força; de novo não abriu. Soltei vários palavrões que rebateram na serenidade de ferro da porta imensa. A mão de Sandra pousou na minha e, com leve pressão, fez a porta se abrir — pra fora. A maldita porta se abria pra fora, e não pra dentro do apê, como todas as portas decentes que conheço. Fui pra porta do elevador e apertei o botão. Ouvi passos atrás de mim, mas não me virei; eu era um bloco de ressentimento maciço: A voz de Sandra explicava: "O Mike passou por aqui e viu você na minha cama... pegou super mal... disse que ia voltar daqui meia-hora... cê entende, né?"

Não sei se disse, mas se não disse pensei: foda-se. Aí, ouvi um baque surdo no chão, seguido do ruído metálico da porta do loft se fechando. Só então me virei pra ver e catar meus sapatos e minha camiseta vermelha "Nobody Does It Better". Foi aí que eu me dei conta do meu tronco nú e pés descalços, um com meia, outro sem. Entrei no elevador, me vesti, e saí num rompante pra madrugada. Dei de cara com o homem-aranha na porta da Sandra. Eu tinha esquecido de apertar o térreo.

Na calçada, senti alívio por estar fora daquela pilha de lofts idiotas. Loft, loft, loft, faziam os miolos na panela de pressão que eu tinha sobre os ombros. Rua 21. E eu hospedado na 59, trinta e oito máxi-quarteirões adiante. Vomitei mais um pouco abraçado a um poste. Pura bílis. Tem hora que um poste vale mais que todas as mulheres do mundo. Um casal passou por mim sem dar pelota pro meu bode. Se eu emborcasse ali, beijando a calçada, não ia ter nem cachorro pra lamber a minha cara. Um táxi, eu precisava pegar um santo táxi que me levasse de volta pro sofá de Sheyla. Queria entrar em coma profundo por 24 horas.

Enfiei a mão num bolso da frente, no outro, no bom de trás e nada. Nem um puto. Só meu notebook com frases, e em português ainda por cima. A grana tinha caído no loft de Sandra. Eu é que não ia voltar lá pra pegar, depois da ópera bufa que foi minha saída. Filhadaputinha, pensei. Nem trepamos — não trepamos? E a perna fora da calça, e o peito e o pinto nús? — e ainda me enxotou do loft no meio da madrugada, naquele estado lamentável, por causa dum bosta dum americano desenhista de vanderbins. Devia ser desses que passam desodorante no saco e usam halitol sabor menta. Pra completar, a latifundiária ainda me fica com toda a minha grana. Taqueopariu...

Os amarelinhos passavam zunindo por mim, os motoristas me olhando à espera de um sinal. Acho que eu dava um dedo por três dólares pro táxi. Talvez dois dedos. Bem pensando, dois dedos não eram nada pra quem quer salvar a pele. Ainda me sobrariam oito dedos pra estrangular a morena no dia do juízo final — se alguém não me estrangulasse antes. O jeito era enfrentar com brio os 38 quarteirões que me separavam da rua 59. Era quarteirão pra caralho, umas cinco Pindamonhangabas de cabo a rabo. Mesmo considerando as distâncias quilométricas, é difícil nêgo se perder em Manhattan. Tem lá umas dez avenidonas de comprido e umas cento e tantas ruas transversais. Tudo plano. É um retângulo quadriculado e numerado, com exceção duns miolos de ruas. Number City. Cidade das Cifras. E eu sem tostão no bolso. Pé ante pé, cambaleante, fui vencendo o chão infinito da Sexta Avenida. Alright, eu me dizia, sebo nas canelas xará, mete bronca. A noite americana me acompanhava. Eu começava a reviver. Podiam me assaltar, me levar em cana, me chutar pra fora da cama de madrugada, mas eu estava vivo. Podiam até me matar, mas eu estava vivo. Só eu sabia disso naquela cidade.

Vi um tremendo cadilac branco estacionado no meio-fio. Senti uma pressão na bexiga; não tive dúvida: puxei a mangueira e mijei solto e grosso no frontispício niquelado do cadilac. A galera vibraria: brasileiro bêbado, sem um puto no bolso, mijando num cadilac branco na ilha de Manhattan! Vingança contra a opulência imperialista! Mijada ideológica: o pênis é um ser político. Era um gesto besta, que talvez nem o Rodrigues, com seu comunismo enragé, aprovasse, mas que me encheu de satisfação. Era a minha vingança contra as donas dos lofts que negam guarita pros bêbados apaixonados nas madrugadas estrangeiras. Se o gangster do cadilac branco chegasse naquele instante era capaz de me costurar com uma rajada de metralhadora, e eu deixaria a vida boa numa poça de mijo e sangue na cidade mais rica do país mais rico do mundo mais infeliz do universo. Dessa vez, consegui fechar a braguilha. Segui trocando pernas com a alegria da vingança consumada. Alright, alright, alright, fé na tábua e pé em deus, eu me dizia, marchando entre os tipos opacos que perambulavam na noite, vários empunhando garrafas. Se mamãe me visse, me dava uma chinelada na bunda e ordenava: já pra casa menino! Mas mamãe e papai estavam a milhas dali dormindo o sono manso dos aposentados, sin embargo dos fusos horários.

Eu ia firme no meu trote, e quando dei por mim já estava na rua 38: Lembrei que a 42 era o centro do bas-fond mais pesado da cidade, cheio de bandidelhos que topam qualquer negócio por qualquer dinheiro. Me deu medo, mas um medo lateral, dos que não travam a caminhada. O medo ficou ali do meu lado, caminhando comigo, como um companheiro. Pedi-lhe desculpas por não poder parar e lhe dar toda a atenção. Se parasse, desmontava, ia de boca pro chão, nunca mais levantava. Não, não! Eu ainda tinha muito porre pra tomar, muita morena peluda pra desejar, muito cadilac branco pra mijar em cima nesta vida. Não ia deixar a farra michar tão cedo.

Passei pelo janelão com persiana entreaberta de um bar apinhado de gente. Colei a cara no vidro pra espiar lá dentro: peixes num aquário de fumaça. Eu tinha suado muito; me deu uma baita vontade de sugar uma cerveja bem gelada e trocar figurinhas coa mulherada, chicanas de pele jambo, loiraças bêbadas de boca borrada e olhar bochornado, asiáticas de pernas curtas e peitos miúdos, que eu via pelas frestas da persiana. Mulheres. Uma cerveja, um gole de bourbon junto, pra temperar, e um papinho com os junkies, os viados, os traficantes, o barman, todo mundo. Perguntar como ia a vida, se eles tinham visto o velho Bill afundado no paletó mais largo que o seu cadáver, se eles achavam que o canalha do Reagan ia ganhar as eleições, se alguém ainda se lembrava de Carmen Miranda, qualquer coisa. Mas, cá estava eu, do lado de fora, nariz esborrachado no vidro sujo do bar, só e só, duro e liso, cansado pra caralho, com mais de vinte quarteirões pra palmilhar. Resolvi pegar meu rumo antes que me desse muita pena de mim. Nisso, um cara grisalho e barrigudo saiu do aquário puxando pela mão uma platinun blonde de mini-saia de couro brilhante que mal lhe represava a banha lúbrica da bunda e barriga. Os dois pareciam bem chapados — ela mais. Engrolando resmungos, a loira se agarrou a um parking meter, mas o cara deu um repelão brutal e ela desancorou, trestrocando pernas pra não cair. Gritava coisas como: "Jack, you fucking bastard, fuck off! Lamego, lamego!" E o Jack respondia: "C'mon, you dirty bitch, c'mon, or I'll break your neck right here!" Aí, a loira soltou um "oh, shit..." num suspiro de abandono, e foi se deixando arrastar pelo tal do Jack ou George. Tesei nas banhas da loira platinada e, em especial, num buracão de pele branca na meia preta dela, bem na batata da perna. Biscatão de primeira, grã-putona da pá virada, pra Bukowski nenhum botar defeito.

Atravessando em linha reta a noite americana, me bateram vários momentos de lucidez cósmica, instantânea compreensão da minha presença no mundo e do mundo em mim. Aos meus olhos, eu era um santo grogue com o pé no sapato, na calçada, no espaço. Um santo sem milagres nos bolsos vazios. Na boca, o travo azedo de tudo que eu tinha bebido, cheirado, fumado, comido, vomitado, mais o veneno do resentimento pela expulsão do loft-paradise. Buááááá! Na verdade eu não estava mais ligando tanto pra isso, pois a caminhada me enxugava a carcaça e, descontado o galo latejando um pouco acima da orelha esquerda, eu estava mais ou menos recomposto. Meu coração só começou a bater mais forte nas imediações da rua 42, onde tontons-macute cintilando homicídios nos olhos interceptavam a linha dos meus passos, me obrigando a mudar de calçada a toda hora. Black versus branco. Vontade de dizer pra eles, C'mon meus chapas, sou branco mas sou brasileiro, terra do mulato inzoneiro, do samba / carnaval / Pelé / Ceci / Peri cobras / lagartos / sacumé / candomblé / café pois é / rima fácil / vida dura / tanto bate / até que fura. Vontade de dizer isso pros blacks, omitindo, é claro, que era filho duma média e nédia família paulistana, armada de negros preconceitos contra pretos e pobres, minha mãe eternamente rosnando entre dentes que as pretinhas, mulatas, cafuzas, caboclas e mamelucas que serviam em casa por menos de um salário mínimo eram umas porcas, ladras, insolentes, preguiçosas, promíscuas e macumbeiras. Meu pai não tomava conhecimento do assunto; eu morria de vergonha culposa das êmpres, que não paravam muito tempo no serviço por causa do germanismo disciplinar da velha. Mas eu não disse nada disso ou daquilo pros crioulões e portorriquenhos. Fui em frente, contornando as paranóias, até pisar por fim no carpete macio do apê de Sheyla, que dormia de porta aberta, nua no cetim, de bunda virada pra lua, no quarto obscuro.

Contemplei uns minutos aquela bunda esférica de quarentona apetecível, enquanto mamava água, sabor geladeira, numa garrafa de plástico. Fiquei de pau duro, me enfiei debaixo do jorro abençoado do chuveiro e comecei a socar uma lânguida punheta com o pau ensaboado. Quando estava prestes a gozar, me deu ganas de ir lá no quarto e me jogar molhado, tesado, sobre a bunda adormecida de Sheyla. Não deu tempo: gozei lindo na mão sobre a cidade de Nova York, enchendo de porra comovida aquelas ruas e avenidas numeradas, até cobrir o cume do prédio mais alto.

●

Duas ou três luas mais tarde, encontro um corpo estranho num bar. O corpo estranho acompanhava Marcela, amiga minha de São Paulo, com quem eu tinha dado uma rápida namorada, anos antes. Marcela tinha uma beleza instável que me obrigava a decidir a toda hora: é ou não é bela? Em geral eu decidia que era. Tinha um corpo bem interessante, o que segurou nosso caso de mês e meio. Era toda lisinha, de um branco homogêneo, cheirosa de extratos variados, de maçã, capim cheiroso, marcelinha do campo, patchuli, noz moscada e mais todo o herbário perfumoso à venda no comércio natureba. Ela gostava de ver meu pau "emplumado", como dizia, pois "o pau duro é a cauda-de-pavão da anatomia masculina". Eu restribuía chamando a bucetinha dela de "flúvia", porque na hora da lambança estava sempre lubrificada. Mas, ela não gostava de flúvia, que lhe dava idéia de corrimento. Assim que eu bati os olhos nela, ali na mesa, ao lado do corpo estranho, antes mesmo de trocar beijos e abraços, tentei me lembrar: por que foi que não deu certo com Marcela? E com esse nome machadiano lindo. Acho que teve alguma coisa a ver com seu jeito insistente até a náusea de partomimizar a vida o tempo inteiro, sob a direção do Grande Espírito Ludocrítico Universal, que só lhe dava alguma trégua na hora do tesão. De porre e fumada, então, era foda; eu, os amigos, a gente tinha que dar uns toques pro Espírito Ludocrítico se mancar, senão ela saía beijando garçon na boca, rebolando a dança do ventre na fila do cinema, fazendo enquetes surrealistas coas pessoas na rua, tipo "O que o senhor costuma fazer quando não está fazendo nada?" — e outras intervenções poéticas na crosta da normalidade. A merda é que era o tempo todo assim. E se alguém ousava um "pô, dá um taime, Marcela!", ela voava no pescoço da pessoa com brados libertários, lhe pendurando o cartaz verde-limão: CARETA.

Mas lá estava ela, agora, metida numa de suas cinqüenta sapatilhas, que lhe conferiam lepidez de bailarina e um jeito meio infantilóide. Mulher ideal prum poeta lunático, pensei, enquanto cumprimentava o ovni antropomórfico que ela tinha por companhia. Um trintão calvo com longas madeixas laterais, a la Ginsberg anos 60. Todo de branco, zíper da braguilha semi-aberto, tênis imundos, sem meia, calcanhar encardido (não sei de onde me vem essa obsessão por calcanhares), e uns olhos azuis esbugalhados, numa cara inchada e lustrosa. Sentei com eles na mesa e pedi uma bud. Às vezes, no meio da conversa, as pálpebras do ovni iam tombando e ele entrava em alfa por minutos, alheio a tudo. Daí, saía do mini-transe e retomava a conversa, confundindo um pouco os assuntos. Chamava Alan, era de São Paulo, tinha três anos que andava ontheroading pelo planeta e jurava, rindo, já ter dado umas bandas pelo cosmos numa nave de Marte. O papo do Alan era pluriorbital, atravessava na velocidade da luz Breton, candomblé, Blake, música clássica hindu, Oswald, Zen, Jim Morrison, pré-socráticos, drogarias — ácido e ópio eram seus aditivos prediletos, embora não desdenhasse de uma boa maconha. Nem de um bom pó. Nem de cogumelos alucinógenos. Nem de nada que desse barato. Era um vadio subsidiado, como eu tinha sido por dois anos, alimentando as turbinas da loucura com drogas, cultura e viagens e, como eu também, um ladrão de ponteiros de relógio. Na verdade, talvez eu não passasse de um bêbado sedentário e preguiçoso. Ele, pelas histórias que contava, e pelo seu jeito vital de contá-las, parecia um vulcão com pernas. Marcela logo virou platéia na mesa do bar, onde eu tinha entrado pra me benzer em budweisers geladas, no meio de uma flanação vespertina. Assim que me viu, Marcela disparou um "Hi, Quim!" de mil decibéis, que instaurou um lapso de silêncio reprovativo no ambiente. Daí, altos beijos (um na boca) e abraços esmagadores, na melhor tradição riponga brasileira. Como já contei, ela me apresentou pro Alan, que numa gentileza desengonçada se levantou pra me cumprimentar. Não demorou muito pr'eu começar a maquinar um jeito de ganhar Marcela prum repeteco erótico da nossa velha transa. Lembrei da gostosura que ela era na cama, mas também lembrei do quanto ela tinha ficado triste quando eu puxei o carro de fininho. Ela me caçava por São Paulo sem conseguir mais me arrastar pro amor dela. Tinha um ano que morava em Nova York estudando dança, teatro, acrobacia, técnicas de relaxamento e coisa e tal. Não parecia ressentida comigo. Eu queria ficar na minha, frio como um detetive sob a aba quebrada do chapéu. Mas o palhaço carentão dentro de mim esfregava as mãozinhas: "Tomara que role um picirico". Só que Alan foi se revelando um louco genial e Marcela ficou um pouco de escanteio. Situação clássica: mulher na sombra assistindo o brilho dos homens. Mas o problema não é meu. Se quiserem, elas que se armem de enciclopédias, bazófias, teorias, cascatas, e venham pra liça sacudir a crista. Desconfio, porém, que se em geral não o fazem, é porque são um pouco menos idiotas que os homens. Além do que, qualquer primeiranista de psicologia sabe que é na sombra que se tramam os desígnios da luz. E catapruz.

Depois de uma profusão de budweisers com shots de bourbon, e tilintadas as moedas no tampo da mesa, fomos pra rua estourar um corneto de hash que Marcela tinha na bolsa. Ela me informou que estávamos no Soho. Achei aquilo meio parecido com Pinheiros, em São Paulo. Nas minhas flanadas por NY entrei numas de achar tudo parecido com São Paulo, em mega-escala. Comentei isso com Alan, que lembrou uns versos dum argentino, chileno, mexicano, não lembro, mais ou menos assim: *teus passos nesta calçada ressoam noutra calçada, de outra rua, noutro tempo e lugar.* Eu ficava achando aquela cidade apenas uma ala muito mais rica do mesmo hospício que eu conhecia em São Paulo. Alan contou que estava há três dias sem dormir, indo de um lugar pro outro, tomando todas, agitando todas. "Meu, cê já tomou benzedrina? Os caras aqui chamam de bennies, uns tabletinhos, cê fica ligadão dias a fio", ele disse, cum sotaque de roqueiro da Pompéia que contrastava coa sua figura de profeta pop-erudito cosmo-junky. Marcela se esmerada num andar tai-chi nascisista but sexy, que me deixou entrever o quanto seu corpo tinha melhorado nos últimos anos: enxuto, esguio; muita dança, muita comida natural... pessoas como Marcela vão morrer de quê?

Alan estava na ilhota tinha menos de um mês, vindo da Índia, de onde tinha trazido uma cítara e uma naja dentro de uma cesta de vime que acomodou sob os pés durante a viagem. No aeroporto o funcionário quis ver o que tinha na cesta. Alan disse que era um pequeno animal de estimação, o funcionário foi conferir, desatando o fecho da cesta e advertindo que a importação de animais era rigorosamente proibida sem os papéis competentes, além do que, Alan já tinha cometido uma séria infração do código aéreo transportando um animal junto com os passageiros, e que ele seria obrigado a/ — o coitado nem completou a sentença, pois, aberta a cesta, a naja emputecida armou-lhe um bote majestoso, com sua cabeça alada se eriçando num hssss de ódio frio. "Meu, o cara teve o rabo de desmaiar de susto, mora, senão a naja abocanhava o pescoço dele. Lá na Índia eles tiram as bolsas de veneno antes de vender as najas, de modo que o cara da alfândega nem corria grande risco se fosse picado, mas de qualquer jeito ia pegar mal pra caralho", explicava Alan, pra mim que cagava de rir, e pra Marcela fazendo evoluções de naja feroz, sem que ninguém na rua desse a menor pelota pra gente, nem pro nosso canhão de hash. Alan quase foi repatriado, mas no fim conseguiu livrar a cara pagando 500 dólares de multa e doando a naja pro zoológico.

Com o tempo fui notando que Alan endereçava mais à Marcela que a mim as artimanhas da sua prosa. Eles não se tocavam — o toque físico nem sempre dá o toque do casal nesta altura da modernidade — mas era óbvio que o citarista, poeta, filósofo e sublime picareta não era totalmente alheio ao charme pantomímico de Marcela; quer dizer, à maneira zen-tímida dele, Alan babava na bailatriz. De vez em quando, Marcela abandonava suas pirevoluções e se intrometia no papo com apartes teóricos: "Aquela naja era o próprio terceiro mundo dando um qualé na Babilônia imperialista", e "Tudo é signo. Por isso que entre a política e a poesia, eu fico com a semiótica." Alan mal ouviu *semiótica* e saiu disparatando: "Pruma boa leitura semiótica basta tapar um olho. Assim, ó", e tapou um olho. "Cês conhecem o lema dos semióticos? 'Em terra de cego, quem tem um olho é rei.' O patrono deles é o Luis de Camões", e se sacudia numa gorda gargalhada. Marcela, então, encerrava a intervenção verbal e retornava "à minha linguagem, a linguagem do corpo", como se a linguagem que sai da boca e leva o nome do músculo que lhe modula os sons viesse de outro lugar que não o corpo. Daí, o papo foi pro além e Alan começou a contar como foi seu passeio num disco voador de Marte, uma noite em São Paulo. Seus neurônios degustavam um ácido poderoso na cobertura do prédio, ao lado da caixa d'água, na rua Jesuíno Pascal, quando o disco apareceu. Eram uns adolescentes mandrakados de Marte que tinham roubado a naveta interestelar do pai de um deles pra dar umas bandas pelo silêncio eterno dos espaços infinitos. Deram uma rasante na Terra e avistaram Alan na cobertura do prédio mentalizando outros mundos. Resolveram, então, só de sarro, fazer um contatinho imediato do primeiro grau com o terráqueo sonhador. "Foi demais", contava Alan, "uma energia luminosa ejaculava por todos os meus poros durante a viagem." Marcela perguntou que cara tinham os marcianos e ele explicou que era quase impossível descrevê-los, pois não tinham forma fixa, e tanto pareciam enorme bolsas d'água transparentes, quanto rãs fosforescentes de um metro e meio de altura, sendo que o líder da gang, em certos momentos, poderia ser confundido com um chafariz luminoso multicromático, se ficasse parado no meio de uma praça do interior. Alan achou tudo muito natural e aceitou o convite prum universe by night. A língua dos marcianos? "No começo, inglês, que eles detectaram como sendo a língua mais prestigiosa do lugar, pois era a mais ouvida nas emissões de rádio. Depois, se mancaram e plugaram o conversor linguístico fono-cerebral deles no portuga from Brazil, versão paulistana. Acharam que era um dialeto derivado do inglês, com ressonâncias afro", continuou Alan. Um deles captou vibrações poéticas na aura do terráqueo. O jovem marciano alegrou-se muito com a descoberta e se confessou poeta também. "Meu, aí os outros marcianos caíram zombando em cima dele, chamando o carinha de viado, passando a mão na bunda dele, dando tapa na cabeça, aquelas coisa de adolescente. Mas, era tudo carinhoso, numa boa. Então, o marciano poeta — o nome marciano dele convertido pro português dava *Alaor* — disse que tinha 17 anos e todas as manhãs abria a janela do quarto e disparava abominações poéticas contra Marte, que explodia numa violência de fogo, cacos e gritos de dor e morte, até que, dissipada a fumaça e baixada a poeira, Alaor via que Marte continuava intacta. Então, enchia os pulmões de nitrogênio, compunha uma ode de amor a Marte e ia tomar seu café, antes de seguir pro colégio."

Nesse ponto, os três, meio que por acaso, meio que conduzidos por Marcela que ia de baliza à nossa frente, entrando numas com os freaks na rua, brincando com as criancinhas e os cachorros, chutando porcarias, como num musical da Metro com Julie Andrews no papel-título, chegamos num pier do cais de Nova York, de onde tinha acabado de zarpar o barquinho turístico que faz a volta completa em torno de Manhattan. Alan achou o maior barato que as nossas pernas tivessem levado a gente até o mar por conta própria. Disse que a água atrai as almas deambulantes, e que isso lembrava-lhe o narrador de Moby Dick. O cara perambulava à esmo por Nova York, quando estava deprimido, indo sempre parar no cais. Aí, a visão do mar e das velas brancas insuflava seu peito e lhe dava ganas de partir pruma aventura qualquer. Por causa do Herman Melville, a gente decidiu esperar o retorno do barco turístico pra se engajar no périplo de 40 minutos around Manhattan. Marcela, de braços abertos, brincava de andar rente à beira do cais, que ficava a uns cinco, seis metros acima da água. A mulher que vendia ingresso pra barcarola circulante deu-lhe uma tremenda chamada no saco, da bilheteria: "Hey, you, tem muito cadáver de equilibrista no fundo dessa água! Sai já daí!" Marcela obedeceu, dando de ombros. "Estúpida", rosnou em português pra mulher. "Ela tem razão", eu disse, "tava assim de tubarão torcendo procê cair. Não é todo dia que eles apanham uma brasileirinha tão sestrosa. Além do mais, quem ia pular pra te salvar?" Alan atalhou: "Justo hoje que eu mandei minha tanga de Tarzã pro tintureiro..." sacudindo corpo e aura na sonora gargalhada. Aí, reacendemos a bituca, longe das vistas da bilheteira, e emendamos um papo torporoso, angu de abóbrinhas gerais. Fomos sentar à sombra da marquise de um armazém, nuns caixotes vazios de grapefruits Holly Sun. Alan se encantou com a marca das grapefruits: "Sol Sagrado! Genial! Tô sentindo as vibrações incas chegando até a gente via caixas de grapefruit! Grapefruit ó grapefruit, pro meu gosto és um chute! Ha Ha — (longa gargalhada) — ha ha — A gente foi escolhido pelo deus sol pra alguma missão importante." Marcela pulou pro sol e deu algumas piruetas rituais incas, que prum desavisado poderiam passar por egípcias. "A aparição do Sol Sagrado pode ser prenúncio de tragédia. Quem sabe não é um sinal de que o barco vai afundar nas águas oleosas e merdentas do Atlântico norte. Olhaí pessoal, a gente foi incumbido pelo destino de salvar as criancinhas e os idosos. Sem contar as senhoras gordas." — "Eu não", falei. "Só salvo as garotas bonitas de mais de treze anos. Em casos muito especiais, as de 11 e 12 também." Alan se cagava de rir, e eu também, e Marcela dançava em homenagem ao Sol Sagrado, e o tempo passou, e de repente o barco turístico apontou na curva do cais, apitou três vezes e atracou no pier.

4 dólares e 65 cents, per capita, e nous voilá no banco de madeira do barco, a céu aberto. Tinha uma ponte de comando envidraçada, de onde o velho lobo do mar com seus longos cabelos brancos, a barba branca e o quepe branco coroando o bronzeado do rosto, babujava pitoresquices sobre Manhattan pelo alto-falante estridente, junto com propaganda de boates e restaurantes que deviam ser os piores da ilha pra se deixarem anunciar por aquele canastrino. Pensei: só lhe falta mesmo um ca-

chimbo. Três ou quatro minutos depois, ele abocanhou um cachimbo recurvo, acendeu, arrancou volumosas baforadas, completando assim a imagem do perfeito babaca. Marcela estava sentada entre Alan e eu. O resto dos passageiros era a mesma canalha média dos parques e zoológicos dominicais: matrimônios calados, namorados em êxtase de tédio, crianças pentelhas e pentelhadas por pais boçais, aposentados cancerosos e tias sufocando de menopausa, e até um casal de hippies andinos, ambos com ponchos de lã de lhama bajo 35° à sombra. Olhavam tudo com a indiferença resignada de velhos incas. Devem ter ido a NY pra ver onde foi parar o ouro que Cortez lhes afanou, pois, como se sabe, os sereníssimos reis de Castela despachavam agora em Wall Street. Olhando pro casal de hippies peruanos, se não eram bolivianos ou equatorianos, uma sinapse paranóica se estabeleceu nos meus neurônios entre aqueles bistetranetos de incas e as caixas de grapefruit Holly Sun. Alan pitonizara: uma tragédia estava pra acontecer. Talvez o barco afundasse mesmo, e eu nem tinha certeza se ainda sabia nadar. De qualquer jeito, um banho naquele mar de petromerda multinacionalizada não estava incluído nos meus planos pr'aquela tarde. Ia perguntar pro Alan se os incas adoravam mesmo o sol, se não seria a lua, mas ele viajava de olhos fechados nas ondas cósmicas que o conectavam diretamente com o vasto universo e adjacências. Podia ser também, aliás era o mais provável, que as greipefrutas Sol Sagrado não tivessem picas a ver com os incas, que, por sua vez, nada teriam a ver com o casal de hippies andinos, e que o nosso barquinho navegasse até o fim ao largo dessa profecia besta, como vinha fazendo até ali.

O fato é que me bateu um medo da porra, enquanto ouvia as histórias que Marcela me contava, tendo ao fundo a ereção prepotente de Manhattan, de mistura com as bobrinhadas que o velho capitão Little Shit gania pelo alto-falante sobre como o holandês Peter Stuveysant e sua perna de pau cravejada de prata perseguia cruelmente os quakers e luteranos na antiga Nova Amsterdan, depois New York City. Eu sentia no peito que alguma coisa ruim estava pra acontecer. Íamos passar debaixo de uma tremenda ponte que liga Manhattan a Brooklin ou New Jersey, não sei bem. Pois eu encanei que a ponte ia desabar em cima do nosso barco assim que a gente penetrasse na sombra projetada n'água. E quanto mais eu procurava me dar conta da irracionalidade desse medo, mais ele me dominava. Juntei toda a atenção de que era capaz nas palavras que Marcela dizia sobre um aborto feito havia um tempo, ainda em São Paulo. Entramos na zona sombria e eu juro que enterrei um pouco a cabeça nos ombros, temendo catástrofes e jurando de pé junto pro Sol Sagrado que, se escapasse daquela, eu comprava uma caixa de grapefruits Holly Sun e jogava uma por uma no mar, em sua homenagem. Navegamos por alguns instantes de tensão máxima sob a ponte. Daí reingressamos na luz e nada nos caiu em cima, nem mesmo uma cuspida, ûm toco de cigarro, um olhar malvado de cigano. Alan continuava em alfa e o aborto foi saindo em palavras pausadas da boca de Marcela. O pai do feto tinha sido escolhido sem consulta prévia; ela simplesmente fisgou um cara num bar, se dizendo: é com esse que eu vou. Era um jornalista esquerdista exterrorista, três istas que o pai dela execrava. O pai de Marcela, um craque abonado do bisturi, entrava mais adiante na história, depois que o tal do jornalista comunista ex-terrorista engravidou Marcela. O feto já ia pro quarto mês quando o jornalista conseguiu dar um corte definitivo nas pretensões maternais da minha amiga, que até ali contava seduzi-lo pra aventura da paternidade. Mas o cara bateu o martelo: Não quero! O feto se arrepiou todo no útero de Marcela.

O barco e seu ronco surdo, Alan boiando numa canja de estrelas, o capitão Little Shit no timão e sua torturante simpatia ready-made ao microfone, o sol, que me carbonizaria se eu o comparasse a uma grapefruit luz-caliente pendurada no azul baço de Nova York, a menopausa das tias, o câncer dos aposentados, o tédio dos matrimônios e dos namorados, os hippies hieráticos, as crianças vazando perguntas por todas as bocas, tudo isso e mais o perfil de Nova York à minha esquerda, por cima da cabeça de Marcela, não passava de um telão fútil contra o qual se destacava a única realidade que me espancava os sentidos naquele instante: o aborto de Marcela. Seu pai se inteirou da situação pela boca fofoqueira de uma prima e deu-lhe uma dura: em que travesseiro estava coa cabeça quando se deixou inseminar pelo jornalista-ista-ista? Que, aliás, pegou a primeira saída à esquerda e decretou o fim do amor. Não queria nem o filho, nem a mulher. Garantiu que lhe pagaria o melhor aborto do país. O cara chegou a brandir o dedo e ameaçar vinganças, a mais efetiva sendo: não reconheço o guri, de jeito nenhum, nem que eu vá em cana, desista. Um ex-terrorista sabe bem o que não quer, e melhor que ninguém sabe não querer. O pai de Marcela exigiu fazer ele mesmo a operação, delicada àquela altura da gravidez, pois não confiava em nenhum outro carniceiro de São Paulo. Marcou a operação num hospital pequeno do Jabaquara, do qual era diretor clínico um amigo seu. Pai operando filha — ainda por cima aborto — só na mais extrema urgência, rezam as regras da curriola branca; mas o velho cirurgião não quis nem saber, e foi assim que o avô trucidou o netinho numa cirurgia dramática. "Avó aborta neto", confesso, dá um belo tema de melodrama romântico português, com muitos bigodudos iracundos e peitudas histéricas em cena. Mas foi exatamente essa a história que Marcela me contou, enquanto a nau dos patifes rodeava a ilha dos caciques. O avô arrancou o neto do ventre da filha e jogou o guri (era homem, revelou depois a Marcela) no saco plástico azul que foi parar na lixeira da humanidade. "Arrancá fruto verde machuca o gáio", diz o ditado. E não deu outra: Marcela perdeu muito sangue, sofreu uma bateria de infecções pós-operatórias, perigou de empacotar. "Até hoje não recuperei a velha forma", disse ela, apontando pra magreza de seu corpo, que eu tinha confundido com saúde atlética.

Me bateu uma súbita queda de pressão sob o sol acachapante. Se eu fosse uma senhorinha, desmaiava nos braços mais solícitos em volta. Joguei a cabeça pra trás, crispei as mãos na borda do banco, inspirei fundo. Passou um tempo. "O preço foi muito alto, mas tô te achando jóia, assim magrelinha", foi tudo que eu achei pra dizer a Marcela, que ainda me fez o favor de se sentir galanteada. Aí, Alan retornou do hiper-espaço e eu quis saber dele como acabava a história do disco voador. "Que história do disco voador?" ele perguntou, ainda um tanto alheio. "Você não deu umas bandas num disco voador pilotado por uns adolescentes de Marte?" perguntei. "Dei", disse ele. "Como cê sabe"? — "Você tava contando antes da gente embarcar nessa joça. Você tinha tomado um acê na cobertura do teu prédio e aí pintou o disco." — "Orra, meu, pode crê. Onde é que eu parei mesmo?" — "Um dos garotos marcianos se revelou poeta e entrou numas com você." — "É mesmo..." fez Alan, e enxugou o suor do rosto na camiseta, deixando à mostra uma pança branca perfeitamente esférica e dura, ao contrário da minha que era mole e se derramava pra fora da cintura da calça. Buda era pançudo; por que não Alan e eu? Ele continuou: "Bom, aí me apresentaram kriptoína, um pó verde que eles aspiravam com um tubinho fluorescente. Meu! Perdi os limites, me expandi em círculos irradiantes que se abriam pra imensidão. Nenhum efeito colateral no organismo. Êxtase puro. Então, o Alaor, já falei do Alaor, né?" — "Já", eu disse — "Pois é, o Alaor recitou pra mim alguns poemas de uma Pequena Antologia da Poesia Clássica Marciana, organizada por um emérito poeta de Marte, cujo nome, traduzido instantaneamente pro português pelo conversor linguístico, dava *Alberto Marsicano*. Pô, meu, esse conversor dos caras era o maior barato, não só traduzia como também encontrava equivalências culturais entre Marte e os demais planetas do sistema solar. Enquanto o Alaor recitava, outro marciano fazia um som num instrumento de sopro, teclado e cordas que não se parecia com nenhum instrumento específico da Terra, e ao mesmo tempo era parecido com todos. Depois do recital, o conversor linguístico puxou um pigarro eletrônico e anunciou com sua voz metálica as equivalências terráqueas daquele som: Parker Hendrix Monk João Gilberto. Aí eu comecei a sacar tudo com a alma de um marciano. Meu! Foi ducaralho!" Eu interrompi Alan pra perguntar: "Me diz uma coisa Alan, cê lembra dos versos que o Alaor recitou?" — "Da Pequena Antologia da Poesia Clássica Marciana?" — "É." — "Lembro." — "Então declama uns poemas aí, que é prum bom espírito marciano baixar entre nós", eu disse, espremendo

70

Marcela num abraço solidário, que ela tinha se arrasado me contando a história do aborto. Alan disse: "A merda é que eu só consigo lembrar dos poemas quando eu tô num mood muito especial. Preciso de música, mas nunca sei que música é essa até que ela começa a soar e eu entro numas e aí me pintam os poemas americanos. Com cítara e ácido costuma dar certo." — "E com pó?" — "Não sei, talvez." — "Cê tá coa cítara no hotel?" perguntei. — "Tô, mas não tenho ácido nem pó." — "Então, vamo lá pegar a cítara. Depois a gente vai pra Sheyla, onde eu tô hospedado, que lá sempre tem pó. A Sheyla é um barato, cês vão adorar ela e vice-versa."

O hotel, L'Hermitage, numa das ruas 30, west ou east, não lembro, era uma espelunca bastante razoável. Marcela e Alan partilhavam um quarto com cama de casal e color tv. A cítara, invisível num sarcófago preto, cochilava em cima da cama. Do quarto, dei um telefonema pra Sheyla, avisando que eu ia chegar com uns amigos. Ela estava audivelmente bêbada do outro lado, s'escangalhando de gargalhar com as besteiras que alguém lhe dizia. Falou: "Vem logo Quim, traz aqui seus amiguinhos pr'eles verem a perereca da vizinha". E ria, e riam ao fundo, provavelmente no quarto de Sheyla. Pensei: será que vai ter clima pro Alan evocar os poemas marcianos? Não custava tentar; ninguém tinha picas pra fazer mesmo. Alan sobraçou a caixa preta, Marcela trocou a sapatilha azul com apliques chineses por uma vermelha reluzente e mudou de camiseta na nossa frente, não fazendo nenhuma questão de esconder os peitinhos. Alan olhava os peitos de Marcela, que eram pequenos e duros, cum sorriso de beato tarado. Eu matutava: se rolar um lance com essa menina, o Alan que vá se consolar no cosmos com os adolescentes

71

marcianos. A nova camiseta de Marcela tinha um tronco de mulher nua estampado no peito. Os peitos da imagem se sobrepunham aos de Marcela. Daí, a gente caiu fora, se meteu num amarelão, e rumou pra rua 59. Éramos quatro agora: Alan do Além, Marcela Bela, Kim Kascatim e a implícita cítara no traje a rigor. Minha mão roçou a mão de Marcela no banco de trás do táxi. Meu pau acordou. Olhei em frente, através do pára-brisa, a rua reta e longa que corria pro mar. O motorista enfiava o pé no acelerador, o carro velho trepidava, já eram oito da noite no relógio digital da esquina, mas a luz do dia ainda estava a postos. Eu já estava acostumado com esses dias intermináveis de verão ao norte do mundo, mas me batia, às vezes, uma nostalgia dos crepúsculos brasileiros que logo afundavam na escuridão.

●

25th floor. Procurei a chave da porta entre as flores de plástico de um vaso que tinha ao lado da porta. O vaso, de porcelana, representava um transatlântico e tinha quase o tamanho de um, considerando-se os padrões para vasos. O porteiro, lá embaixo, tinha examinado nossa comitiva com sua meticulosa desconfiança fardada, seguindo a gente até o hall dos elevadores. Eu disse hello pra ele, e recebi de volta uma leve oscilação na aba do seu quepe. Alan, claro, era o foco principal da investigação paranóica do cara, e mais ainda o ataúde preto da cítara. Aquele porteiro devia ter visto muito filme de gangster e, na certa, farejava uma metranca dentro da caixa preta; ou bombas; ou pedaços de cadáver. A porta do elevador abriu, eu entrei, Alan entrou coa cítara, e Marcela, antes de entrar, executou um tournant completo na ponta do dedão, bem nas fuças do porteiro. Depois, dentro do elevador, ficou experimentando poses de estátua sexy no espelho de corpo inteiro colado de cara pra porta automática. Alan curtia de olhos fechados a trip vertical de 25 andares. Nunca vi day tripper maior. Esse na certa inventaria um paraíso pra ir depois da morte, no caso de não haver nenhum disponível.

O vaso onde estava escondida a chave provocou êxtases exclamativos em Alan e Marcela. No entanto, aquele transatlântico de porcelana andava agitando a vida de Sheyla. Alguns vizinhos tinham reclamado do mau gosto da inquilina do 253 pra administração do prédio, que lhe mandou uma carta proibindo o transatlântico de navegar no corredor do 25th floor. Sheyla retrucou, invocando a constituição, os direitos do homem e oscambau. Seguiu-se uma guerra de cartas entre Sheyla e a administração. No final, Sheyla já estava encerrando as suas com "stick the rules up your ass, suckers!" e a situação ficou deveras esquisita. Na seqüência, um vizinho fez seu cachorro mijar no vaso. Sheyla lavou o transatlântico e as flores de plástico e recolocou o escândalo estético junto à porta de entrada, com um aviso: "Aos cachorros desse andar: vão mijar no pinico onde vocês guardam seus preconceitos". A história ganhou o prédio, e os moradores de outros andares faziam romarias furtivas pra contemplar e fotografar o transatlântico com exuberantes flores artificiais jorrando da cobertura e chaminé. Sheyla contou que se divertia espiando a galhofa cochichante dos caras pelo olho mágico da porta. Tinha um, de óculos redondos, com pinta de professor ou crítico de artes plásticas, que trazia amigos ou alunos quase todos os dias pra admirar o vaso. Sussurrava e fazia gestos de quem decompunha analiticamente o objeto, enquanto os outros ficavam coçando o queixo, atentos. Sheyla, um dia, me apontou o tipo na entrada do prédio. Tinha cara de quem leu Merleau Ponty aos 11 anos e armazenava opiniões perfeitamente elaboradas sobre tudo, especialmente arte, que reputava muito superior à vida. Daí, aconteceu que meia dúzia de vizinhos, sabendo da briga de Sheyla, passaram a escrever cartas de solidariedade a ela e de protestos à administração pelo veto ao transatlântico florido — o qual, ignorando as procelas, mantinha-se à tona em toda a sua dignidade kitsch. A administração ameaçou Sheyla com um processo e nesse pé estavam as coisas quando eu abri a porta do apartamento naquela noite.

A zorra, da grossa, acontecia no quarto de Sheyla, boudoir despiroqueited da musa kitsch. Música, risadas, vozes exaltadas, cheiro de fumo, tilins de copos e bacbucs de garrafas. Nos enfiamos pelo corredor em direção ao quarto. Já tinha advertido meus dois amigos de que Sheyla, apesar da sua inclinação kitsch, era mulher cultivada nas bibliotecas do ócio. Fora casada por 10 anos com um ricaço intelectual da família Snorrenfeld, economista da esquerda liberal não-marxista e industrial da pesada (máquinas-ferramentas) que bancou sua flanação acadêmica até a pós-graduação em letras. Sheyla tinha consciência teórica do seu cotê kitsch. Dizia que o bom gosto burguesóide, do pop ao clássico, passando pelas vanguardas, tinha sido encampado em massa pela mídia, acuando o kitsch prum reduto cada vez mais restrito, onde se abrigava uma verdadeira elite que ela chamava de "aristocracia kitsch". Gente disposta a desembolsar 250 dólares por um vaso em forma de transatlântico, sem desprezar as pequenas bugigangas kitsch-poéticas a preços irrisórios, como a torre Eiffel de plástico com luzinha colorida que ela tinha na penteadeira, ao lado de outros mimos. Entrei no quarto liderando a comitiva: Marcela, que se apresentou numa mesura de bailarina, e Alan, abraçado à cítara, sua verdadeira amante, o que certamente não excluía umas bimbadas na Marcela. Eram dois peixes se amando, aqueles dois; vibravam-se desejo em silêncio. Sheyla se esbaldava com Jorge (Rórrê), el agentino gay, y su colega no menos gay, o brasileiro Paulinho Bê, os mesmos que eu tinha conhecido no dia da minha chegada. "Bê do quê?" perguntei pro Paulinho mais tarde, quando já estávamos atrolhados do pó que eles tinham trazido e mareados da champanhe espanhola oferecida por Sheyla, que começava a economizar no luxo. "Bê, de Bethania", explicou Paulinho Bê, com sua voz grave e rouca de fera dos cabarés. Adorava Maria Bethania, pra ele uma santa baiana: "Que Berré nos proteja e alegre por essa vida afora, e que Oxum-Maré proteja ela de sempre à eternidade. Saravá" disse, solene.

Marcela e Sheyla se detestaram à primeira vista. "Cuidado que assim vai chover pênis na sua cabeça, darling", brincou Marcela, ironizando o layout de puta sado-masô da outra: sutiã-copa, que lhe alçava a peitaria, deixando à mostra as rodelonas marrons dos bicos; calcinha-tanga, cinta-liga e meias longas, tudo preto. Sheyla se divertia comprando paramentos de suruba em pornoshops, e dizia, sei lá se era verdade, que de vez em quando ia caçar uns níqueis numas boates de putaria soft, só de farra. Sheyla não deixou barato e ficou disparando farpas contra as sapatilhas e os apliques bordados nos jeans e os longos cabelos de Marcela. "Acho hippie uma gracinha", disse; "sempre que posso compro um colarzinho de contas que nem o seu aí, pra ajudar a causa. Depois, jogo na primeira lata de lixo, claro..." Fiquei prensado entre a fidelidade à Sheyla, que me hospedava, e o tesão renascente por Marcela. Resolvi que era melhor não meter o bedelho; elas, que eram brancas, que se entendessem — ou não.

Sheyla tomava o primeiro porre sério depois da operação. Debicava sem parar flutes sucessivas de champanhe Cordoniú, com intervalos cafunga-dores e chibabeiros. Desbordava em gestos espa-lhafatosos, falação enfatuada, gargalhadas obcenas. Chamei-a de Rainha das Impudicas; em troca, ela condecorou minha cara de beijos: testa, bochechas, queixo e boca — vários na boca. Sheyla deixava claro que nessa noite eu teria a grande chance de demonstrar toda a minha gratidão pela hospeda-gem. Considerei de relance seus países-baixos, mal tapados pela calcinha-tanga com cinta-liga. A cal-cinha tinha o requinte sacana de um rasgo rendado no entrecoxas, por onde lhe afloravam os grandes — enormes! — lábios. Considerei sem ternura aque-les beiços melancólicos. A calcinha exígua deixava à mostra um pedaço do esparadrapo cor da pele que protegia a cicatriz. Eu arrepiava só de imagi-nar meu pau penetrando na fresta da calcinha até atingir a região traumatizada pela cirurgia. O corte podia abrir durante a transa: sangue e víceras se esparramando no cetim branco da cama bitch-kitsch de Sheyla. Eu seria processado por violência sexual e puxaria cinco anos de cana em Nova York, antes de ser repatriado pro Brasil. Eu mantinha Marcela na alça da mira, eu queria Marcela e não achava impossível que rolasse qualquer coisa entre nós; afinal, eu já conhecia o caminho... Intuindo uma rival na "hippie", Sheyla era toda um esban-jamento de gracinhas pro meu lado. Foi aí que eu dei uma briosa cafungada e sugeri ao Alan que de-dilhasse umas ragas na cítara pra nosso deleite es-piritual. Sempre rindo (seria esse bom-humor efeito do passeio sideral?), Alan tirou a cítara da caixa preta, provocando alvoroço na moçada. Todo mundo avançou com olhos e dedos pra cima do instrumento bojudo de madeira envernizada e cordas de cobre. Jorge quis saber se tinha algum espírito hindú preso naquela gaiola. Alan respondeu que ali morava a alma do Marajá Maracuj Ah!, que morreu de overdose de mango shutney no século quinto, d.b.: depois de Buda. Enquanto a gente fuçava a cítara, Alan se atracava com um bolo de chocolate que tinha em cima da penteadeira. Daí, empapuçado de bolo, chupou os dedos, enxugou as mãos na calça ex-branca e retomou seu instrumento. Marcela avançava pra desligar o gravador que tocava um ska dos Specials, quando Sheyla barrou-lhe o caminho, dizendo: "Deixa que eu mesma controlo o silêncio na minha casa". E desligou o gravador. Clima.

Alan começou a afinar a cítara. Disse que ia começar pela raga dos Paraísos Artificiais. Sentado de iogue corcunda no carpete bege, com a cítara no colo, ele tangia as cordas e apertava as tarrachas, com as pálpebras semi-cerradas. Paulinho Bê, Jorge e Sheyla trocavam-se cochichos e risinhos. A mão esquerda de Alan deslizava pelo longo braço da cítara, enquanto a direita, coa palheta, fazia carícias sensuais nas cordas. De vez em quando, apertava uma tarracha, subindo ou descendo o tom de uma corda. Vibrações místicas percorriam a sonoridade trêmula do instrumento, impondo-nos aos poucos um silêncio respeitoso. O zumbido modulado de enxame de pernilongos dominou a cena. A afinação durou uns cinco minutos. Quando finalmente Alan e a cítara se puseram de acordo e o silêncio cresceu no quarto, a platéia explodiu em palmas e assobios. Alan agradeceu, unindo as mãos em prece na testa, e disse: "Uma vez, num concerto de

77

rock, a turma aplaudiu delirantemente o Ravi Shankar depois que ele afinou a cítara, que aliás é um instrumento muito sensível e precisa de afinação a toda hora. Aí, mora, o Ravi Shankar disse assim pros caras: 'Se vocês gostaram tanto da afinação, estou certo de que vão apreciar também o concerto'. Eu diria o mesmo a vocês, com todo o respeito." A turma, inclusive eu, aplaudiu a verve do Alan, que já ensaiava os primeiros acordes da raga dos Paraísos Artificiais. Mas Sheyla não se conteve, "e por falar em Ravi Shankar", atropelou a raga com uma história acontecida em 1970 envolvendo o citarista indiano e uma orgia iogue, com muito incenso, massagens de óleos perfumados, maconha e o seu desquite (mais tarde divórcio) do inteleco-industrial. Em resumo, o cara chegou pra jantar no duplex do casal, na praça Buenos Aires, com dois ilustres economistas canadenses e senhoras, em visita ao Brasil, e topou com uma "Sessão de sensibilização erógena coletiva" promovida por Sheyla e seu mestre de ioga, com a participação de todo o elenco de uma peça de vanguarda em cartaz na cidade, mais uns iogues avulsos. O marido da Sheyla abriu a porta justo na hora que a sessão atingia o climax sensorial, com paus penetrando bucetas e cus e bocas e tudo o mais, ao som de Ravi Shankar. Sheyla, flagrada em pleno felatio com o mestre de ioga, não perdeu o rebolado e propôs que o marido e os canadenses aderissem à suruba hare-krishna. "Um dos canadenses ainda deu uma olhada pra mulher", contava Sheyla, "pra sondar o que ela achava da proposta. Mas, o constrangimento dominou a cena e os caras deram no pé." — "E o teu marido?" perguntou Jorge. "O Hugo? Sumiu. Uma semana depois, o advogado dele me telefonou pra me informar que já estava dando entrada no desquite. Cê acredita que eu só fui reencontrar o Hugo quase um ano depois, na primeira audiência judicial?" — "E a suruba?" quis saber Paulinho Bê; "que fim levou a suruba?" — "Continuou firme pela noite adentro, menino", confessou a patrona dos dissipados.

Alan aproveitou a pausa pra dar mais uma sniflada no pó esticado num espelho sobre a cama. Virou também duas flutes seguidas de champanhe, "pra limpar os canais competentes", antes de voltar à raga. O som sinuoso de serpente sensual se expandia em espirais no ar saturado do quarto. Marcela, empertigada numa cadeira, acompanhava com dedos ondulantes a linha melódica fugitiva da raga. Sheyla se encaixou entre Paulinho Bê e Jorge na cama, recostados os três na cabeceira, sobre almofadas. Eu tirei os sapatos e fiquei traçando rotas ansiosas no carpete, impossibilitado pela cocaína de parar quieto. Uma tempestade de correntes elétricas se desencadeava na ravina que separava meus dois hemisférios cerebrais. Se eu dissesse que idéias embarcadas em naus de papel desciam de roldão a corredeira do meu pensamento, o leitor alérgico a lugares-comuns talvez interrompesse aqui a leitura desses autos que se atam e desatam à revelia do escrivão. No entanto, era o que acontecia. Fui olhar pelo janelão: três helicópteros, dois aviões à vista. Nenhum Vanderbim. Mandei uma rápida banana telepática pra Sandra. Atrás de mim, a raga se desenhava no ar. Fui identificando um daqueles desenhos melódicos: era Prenda Minha, espichada em longos ciclos rítmicos. Depois, Prenda Minha se dissolveu num improviso acelerado, e o improviso caiu na trilha do Bolero de Ravel, indo em seguida pra Asa Branca, e dali pruma fuga de Bach, que não demorou pra se transformar no estudo n.° 11 do Villa Lobos, sempre cum improviso nas transições. Era lindo de doer aquilo, e eu tirei o caderninho do bolso pra anotar uma ou duas pataquadas líricas. Nisso, ouço a voz de Alan num tom alto, quase feminino, declamando esses versos:

> vislumbres violáceos
> espáceos bólidos
> tresluminosos vértices

Em seguida, um improviso acelerado na cítara. Devia ser um dos poemas marcianos. Aproveitei o caderninho na mão pra capturar os versos entocaiados na memória profunda de Alan, e que só agora botavam as manguinhas de fora. Logo veio nova bateria de versos:

> neste rubro planeta
> observo cuidadosamente
> os fenômenos naturais
>
> neste disco
> maravilhado!
> nem pisco
>
> nestes canais
> purpúreos abismos
> de outros carnavais

Novo improviso, e:

> meu corpo transparente
> abarca negligente
> o universo

Outro improviso. Marcela agora girobailava a cabeça, de olhos fechados, sempre sentada a prumo, mãos descansando de palmas pra cima nas coxas. O trio Jorge, Sheyla e Paulinho Bê, agarradinhos na cama, cabeças unidas, levitava. Formavam um lindo modelo pra biscuit de sala de jantar: a marafona entre dois efebos de bordel. E lá vinham novos poemas da *Pequena Antologia da Poesia*

80

Clássica Marciana, organizada pelo marciano *Alberto Marsicano*, segundo Alan ouviu do jovem Alaor, o bardo do disco voador:

> ó asteróide
> perfuras o espaço
> seu habitat natural

Eu via Alan de costas, relaxadão, quase desabando pro lado. A execução, porém, era límpida. Seu espírito estava desperto a 100% de luminosidade, sem contar o brilho extra do alcalóide. Mas, seu corpo baqueava, depois de dias emendados nas baladas da vida. A voz dele ou *nele* (àquela altura eu acreditava em tudo) voltou a modular versos:

NESTAS ESTRANHAS PLANÍCIES

> estridências marcianas
> filhas do espaço:
> esta é a sua imensa herança!

Improviso curto, e logo:

NAVE

> rotas atoas
> ritos que voam
> rótulas siderais
> firmamento luminoso
> astrovia sem pedágio

Daí, um agitadíssimo improviso, meio pro bebop, seguido do que seria o último poema marciano daquela noite:

> mater
> terma
> — Marte!

Depois dos acordes finais da raga dos Paraísos Artificiais, o citarista levantou titubeante sob aplausos — fui ajudá-lo a se conformar com a lei da gravidade — sem um pingo de sangue na cara, um olho mais aberto que o outro, mas ambos mais fechados que os de qualquer um ali. Marcela e eu acompanhamos Alan até a porta do banheiro, onde ele fez questão de entrar sozinho. Tranqüilizei Marcela: "Enquanto um bêbado consegue parar em pé, tudo bem, ele se arranja". Voltamos pro quarto. Sheyla falava no walkie-talkie com alguém que tinha acabado de chegar a Nova York. Pelo que entendi era uma pessoa indicada por um amigo dela de São Paulo. Sheyla foi logo incorporando o cara: "Então, vem aqui. Estamos curtindo um Chá Musical em Calcutá. (...) Cê tem o endereço? (...) Isso mesmo. (...) Então tá, tô esperando. Um beijo." E desligou, explicando que era um tal de Marco Dourado, amigo do Beltrami, um diretor de teatro famoso no eixo Rio-Sampa, amicíssimo dela. Marco Dourado disse que conhecia Sheyla, mas ela não tinha a menor idéia de quem era ele. Eu já tinha ouvido falar em Marco Dourado, que também era diretor de teatro e televisão, tendo sido ator de grupos vanguardeiros no começo dos anos 70. "Se ele me conhece, é de muito tempo atrás. Eu vim pros States em 71..." — Sheyla ponderou. Marcela também já tinha ouvido falar em Dourado. Idem Paulinho Bê: "Se não me engano, ele até já dirigiu um show da Bethania", anunciou excitado. "Nossa", disse Sheyla, "esse Golden Marcos é uma celebridade nesse quarto. Quero só ver a cara do bofe."

Ficamos de papo mais um pouco, Jorge e Paulinho Bê dando notícias de um clube gay especializado em fist-fucking. Eles achavam aquilo um horror, "coisa de bicha sofredora que fica se punindo por ser homossexual. Magina agüentar um punho fechado e um antebraço no rabo! Pode?" disse Paulinho Bê. Jorge concordava: "Cabecitas morbosas tenen los tipos eses. Cosas de gran império decadente." — "Ainda se os fuckers fossem manetas..." falou Paulinho Bê, pra gargalhada geral. A conversa seguia nessa toada. Marcela e Sheyla se trocaram palavras menos ásperas, mas se via que jamais seriam amigas. Eu falei um pouco sobre o meu romance pra elas, mas ninguém se interessou muito. Enfim, entre um assunto e outro cafungávamos as primorosas carreirinhas esticadas por Jorge e degustávamos a Cordoniú que Sheyla confessou custar um terço do preço da Taitinger: "Mais c'est toujours du champagne", se justificava. Falamos de Alan, ainda trancado no banheiro. Sheyla e os meninos tinham se impressionado muito com a aura· místico-sarrista dele. Ficaram encantados com o recital de cítara e com os poemas marcianos. Contei pra eles a história do disco voador e da naja no aeroporto. Marcela disse que tinha conhecido Alan dias antes e se ligara muito nele. Agora, repartiam um quarto de hotel e viviam na maior camaradagem. Camaradagem em quarto de hotel com cama de casal rima direto com libidinagem, pensei. Se bem que eu já tinha repartido uma cama de hotel com uma brasuquinha em Londres, muitos carnavais atrás, sem que tivesse pintado nada entre a gente além de um constrangimento dissimulado em companheirismo evoluído. Companheirismo evoluído entre homem e mulher na cama é simplesmente falta de tesão. Enfim, só acontece mesmo aquilo que está escrito no grande pergaminho celestial, como já dizia Jacques, o Fatalista.

Daí, soou a campainha. Levantei do carpete pra atender à porta, mas Sheyla tomou a dianteira, labaredas lhe escapando pelo rabo. Não sei que cara fez Marco Dourado quando topou com aquela perua pirada em calcinha e sutiã; sei que ele já entrou no quarto abraçado à Sheyla, muito alegre e íntimo e, se não me engano, um tanto bêbado também. Quando viu o pó, que ninguém se preocupara em esconder, bradou: "Tirem isso da minha frente, ou me arranjem imediatamente um canudinho!" No que foi logo atendido por Paulinho Bê, que lhe passou a nota enrolada. Dali pra frente, Sheyla só tinha olhos e peitos e quantos ovários lhe restassem pro recém-chegado. Marco era um homem bonito, ainda que magrinho e não muito alto. Tinha uma basta cabeleira preta por cima da testa larga que açularia os instintos castradores de Gwen, e uma cara angulosa, descarnada, à exceção da boca imensa de lábios salsichosos, suficiente para pelo menos duas caras daquelas. Era uma mistura de Mick Jagger com Pierre Clementi. Se via pela espontaneidade com que tratava Marcela e Sheyla que era um femeeiro de marca. Nenhum homem é tão espontâneo assim com as mulheres se não tiver quintas intenções.

Não vi o que aconteceu na seqüência, pois logo depois da chegada de Marco Dourado fui ajudar Marcela a rebocar Alan pro hotel. Ele tinha vomitado o bolo de chocolate pelo banheiro todo, pia, privada, chão, bidê, azulejos; fomos encontrá-lo desmaiado na banheira, todo babado de vômito. Enquanto Marcela tratava de trazer o bardo cósmico de volta à Terra, com água fria e nescafé extraforte, eu dei um trato na vomiteira do banheiro, antes que Sheyla visse aquilo, numa operação que, se narrada em detalhes, deixaria no chinelo a descrição dos Yahoos, na quarta parte d'As Viagens de Gulliver, do Swift. O banheiro ficou exalando um buquê acre de vômito com desinfetante até o dia da minha partida.

Marcela disse que ficaria enfermeirando Alan no L'Hermitage. Nem tentei convencê-la de outra coisa. Quando saí do quarto do hotel, ela tirava as roupas emporcalhadas do citarista, com um desvelo de enfermeira apaixonada. Fosse o que fosse, ganhei a rua me pelando de inveja e ciúme do Alan do Além, a quem não vi mais, nem Marcela, em Nova York. Me enfiei num MacDonald's, onde forcei um x-salada pra dentro do bucho vazio, com a ajuda de um copo gigante de coca-cola, e voltei pra rua 59 assobiando Nada de Novo, do Paulinho da Viola. Encontrei Sheyla pranchada de costas na cama, descoberta, pernas abertas, de calcinha "frestada" e cinta-liga, sem o sutiã que jazia no chão, cada peitão desabando prum lado do corpo. Destroços da farra cercavam a mulher adormecida. Ainda tinha muito pó no espelho, agora sobre a penteadeira, ao lado do bolo de chocolate estraçalhado. Deixei tudo como estava, fechei a porta pra não ouvir os roncos de Sheyla, dei uma mijada no banheiro ainda fetibundo — quase botei pra fora o x-salada de puro asco — e desabei no sofá, de roupa e tudo. No dia seguinte, acordei com um berro de pavor vindo do banheiro. Um berro, dois, três berros, seguidos de vários "puta que pariu!" Pulei do sofá, empurrei a porta entreaberta do banheiro, e vi Sheyla nua, toda molhada, apontando horrorizada pruma toalha no chão. Me contou que estava se enxugando, depois da ducha, quando notou umas asperezas na toalha felpuda. Foi ver, era vômito seco. Confessei o desarranjo do Alan na noite anterior. Ela entrou de novo na ducha estrachinando o poeta, citarista e gran vomitador. Mais tarde me contou, jubilosa, que tinha finalmente quebrado o jejum sexual com o "a-do-rá-vel" Marco

Dourado. "Cê sabe de onde ele me conhecia, Quim? Cê não vai acreditar! Lembra da suruba iogue que eu contei, aquela ao som do Ravi Shankar, que o meu marido chegou com os canadenses e tudo o mais? Pois é, o Marco tava lá! Juro! Era um dos atores da peça do Beltrami que tinham sido convidados pra gandaia à la Ghandi. Pode? E o pior não é isso. O sujeito me contou — eu fui me lembrando aos poucos — que naquela noite ele tava c'o pau todo enfaixado, tinha operado da fimose uns dias antes. Disse que eu não acreditei na história da operação, achei que era fita, obriguei ele a tirar o curativo pr'eu ver. Aí, quando Marco tirou as bandagens, apareceu aquele pau coa cabeça vermelha de mercúrio cromo. Então, o pau dele começou a ficar duro, eu forcei a barra e a gente acabou transando. De repente, imagina só!, o corte abriu e saiu uma sangueira desatada do pau do pobre coitado. Não é incrível?!"

Mais tarde, já em São Paulo, Marco Dourado, de quem fiquei grande amigo, me confirmou essa história, dando também detalhes da transa com Sheyla no apê da rua 59. "Cê não imagina o tesão que é enfiar o seu pau pela fresta rendada de uma calcinha preta. As rendas ficam fazendo cosquinhas na pele do pau, não há Cristo que segure a geléia por mais de dois minutos", me contou Dourado. Disse também que, tão logo eu, Marcela e Alan saímos, se instaurou um clima de putaria deslavada no quarto de Sheyla. Jorge e Paulinho Bê insinuaram uma suruba a quatro, mas ele ameaçou de ir embora. Sheyla interveio com decisão, e quem se mandou foi a dupla gay. "Daí ao pau na fresta foi um passo. Digo, um piço", disse o lúbrico Dourado. Perguntei se ele sabia que ela tinha tirado um ovário. "Nem reparei", foi sua resposta.

●

86

No dia seguinte, sei lá o que aconteceu no dia seguinte, mas dali uns dois dias entrei num jato com meu bag de nylon cheio de roupas sujas, os anos 80 ondulando na peruca pós-moderna que Gwen me confeccionara, um romance esquisito que eu ia tentar publicar, e mais um saquinho de biscoitos de maconha e cacau que a Sheyla tinha feito especialmente pra minha viagem. "São talismãs comestíveis", ela disse. Grande Sheyla. Um dia antes de embarcar ofereci-lhe o jantar mais caro da minha vida, 120 dólares num restô francês superchique. Fiquei quase sem um puto no bolso. Sheyla, sacando a situação, me escorregou cinqüentinha, no abraço de despedida: enfiou a nota de 50 dólares no bolso de trás do meu jeans, conforme percebi depois. Só que era o bolso furado e a nota já ia se evadindo de fininho como entrara; quem avisou foi o motorista do táxi que me levou ao aeroporto, um crioulo comprido, magrão, óculos espelhados, pinta de ex-craque de basquete: "Hey, man, look at your butt! Your're shitting money! Ha ha!" — ele apontou quando eu ia entrando no carro. O motorista do primeiro táxi que eu peguei em Nova York tinha me arrochado 8 dólares; esse último não me deixou perder 50. Saí ganhando 42. Eu devia alguma coisa aos negros americanos. Dei dois dólares de gorja pra ele, que me devolveu aquela rosquinha de dedos que no Brasil é vá-tomar-no-cu e nos States it's ok. Foi legal da parte de Sheyla aqueles cinqüentinha. Meu anjo cafajeste me sussurrou: "Tivesses comido a moça, levavas 100. Dependendo da performance, 200".

Sentei no meio de uma fileira de três poltronas, no 747 da Varig, com uma baby brasileira butiquenta de um lado, e uma senhora cinqüentona de luto fechado e bigodinho do outro. As duas, a certa altura, aceitaram agradecidas os biscoitinhos caseiros que eu lhes oferecia, sem desconfiar do ingrediente principal. A argentina contou que vivia em Nova York; tornava à pátria de luto pela morte do único irmão, um oficial do exército baleado acidentalmente por um colega. Ela chorou muito ao contar isso pra mim e pra baby; depois, ficou repetindo: "Ah, los hombres y las armas... los hombres y las armas..." Parecia uma viúva de tragédia grega esmurrando as muralhas do destino. Quem sabe se o pobrecito do hermanito da mulher não era um caçador de brujas, um escroto dum torturador, cupincha da ditadura militar. Às vezes o destino dá uma dentro. Mas a dor daquela mulher a cinco mil pés de altura me comoveu, até começar a encher o saco. A garota, sentada à minha direita, se declarou paulissssta e primeiranisssssta de arquitetura no Mackenzie. Era meio gordota, tinha um nariz de plástica e peitos lolobrígidos. Era também meio fresca, ou melhor, *clean*, dessas que têm o mesmo cheiro químico no suvaco e na buceta. De qualquer maneira, eu me inclinava mais pra conversa de sorveteria chic dela que pras lamentações da carpideira ao meu lado esquerdo. Mas logo uma e outra me abandonaram à velha solidão, de onde eu sempre soube tirar coelho, paca e tatu (cotia não). A baby mackenzista capotou pouco depois de saborear o segundo biscoito, só acordando no Galeão horas mais tarde. Em seguida, a senhora de preto, que só tinha comido um, ficou lívida, encheu um saquinho de vômito e foi levada ao banheiro pela aeromoça. Passando pelo corredor, mais tarde, topei com ela dormindo estirada numa fileira de cinco poltronas, lutopálida sob cobertores.

Eu não consegui pregar o olho durante quase toda a viagem. Viajava dentro da viagem, sob o efeito dos talismãs comestíveis da Sheyla. De vez em quando, ruminava lentamente um biscoito pra manter a altitude da trip interna. Se o avião caísse, eu morreria coa boca cheia de farelo, o que certamente me dificultaria pronunciar as últimas palavras: "Fufa que o fariu, fô fufifo!"

Brasil. Lá minhas camas têm mais fodas, considerei. Eu me excitava com essa minha volta ao Brasil como um europeu típico em visita a um paraíso trópico-sexual-cambial, onde a moeda forte torna a carne alheia ainda mais fraca. Brasilzão: "là, oú les jeunes filles ne sont pas connues par leur vertue excessive et les hommes n'ont pas peur du désir des autres hommes", escrevia o correspondente do Monde, referindo-se ao carnaval brasileiro de 80, "onde os libidos desabrocham num alegre e confuso despudor". As garotas, umas putinhas, os homens todos viados, essa era a imagem que se difundia na França do nosso Brèsil brèsilien, que exportava para o Bois de Boulogne toneladas de travestis, cujas chupetinhas famosas sugavam milhões de francos do honesto cidadão francês. Será que o correspondente do Monde tinha razão, será que a nossa república generalesca tinha mudado tanto assim em dois anos? O mesmo lugar onde eu já tinha amargado tanta solidão punheteira era agora um éden genital?

Meu copo de plástico vazio pedia mais um uísque. Eu estava sentado agora na poltrona do corredor, onde antes espojara-se em lágrimas a trágica argentina. A poltrona do meio, vazia, me separava da burguesinha mackenzista nocauteada pelos biscoitos da grande bacante da rua 59. Pela janela ao lado da baby vi o dia amanhecendo no universo. Lembrei de Alan e de Vanderbim. Um nos braços da bailarina dadaísta, o outro voando ao léu pelo espaço com seu coração-bomba irradiando luz pra deslumbre de Sandra/Titliana no terraço da mansão panoramizante do Morumbi, e admiração do professor Baroni no observatório da solidão. Fiquei sem saber o fim da história do Vanderbim. Talvez ele estivesse ali fora, só esperando eu botar a cara na janela do 747 pra me lançar todo o seu desprezo por eu não poder vê-lo nem meu pai ser latifundiário no norte do Paraná nem eu morar num loft em Manhattan. Mandei Vanderbim pros cornos da lua e levantei pra batalhar mais um uísque. Um alarme agudo disparou no labirinto da minha cabeça. Álcool e biscoitos de fumo colombiano, mistura desorbitante a 5 mil pés de altitude. Me apoiei no encosto da poltrona e esperei passar. Estava escuro e todos pareciam dormir à bordo. Então, me lembrei que antes de embarcar pra Nova York mon ami Pierrot, que tinha ido a Charles De Gaulle se despedir de mim, me jogara na mão uma meleca preta dura, dizendo: "É dross, um resíduo de ópio carburado que também dá barato. Enfia no cu, que nem supositório, ou debaixo da língua, comme tu veux. Demora, mas bate". Eu tinha mocosado a meleca dura no tambor do meu isqueiro a fluído, atrás do chumaço de algodão úmido de nafta. Um isqueiro de bronze em formato de mini-obus que foi do meu avô. Meu avô era um portuga do Alentejo, terno-terrível, tremendo bebum, que morreu c'o fígado do tamanho de um barril, há muitos séculos de saudade.

Madrugada de férias em Mirandópolis. Um cheiro de lingüiça frita entrando no quarto e no sonho. Era o vô Celestino sapecando a calabreza na frigideira, que em seguida iria saborear aos goles fartos do bom tinto da terrinha. Ele aproveitava o sono da mulher, das filhas, dos genros e dos netos pra se empanturrar de calabreza com vinho português. Daí, só acordava ao meio-dia, mal humorado feito urso com enxaqueca. Por que diabos fui me lembrar disso agora? Ah, sim, o isqueiro de

90

bronze do meu avô com a pedra de ópio escondida. Pois então: lembrei do ópio, peguei o isqueiro que estava no bolso do blusão de brim, no bagageiro sobre a poltrona, e fui cambaleando pro banheiro. No caminho, contemplei meus companheiros de aventura, enrodilhados num sono difícil. Todos sonhavam com acidente aéreo. Tinha só um cara de olhos abertos, aninhado em posição fetal na poltrona, com as mãos enterradas em prece entre as coxas. Tinha os olhos grudados no chão. Certa gente acha que se despregar o olho por um segundo durante o vôo, a porra cai. Era a vigília daquele carinha que mantinha o avião no ar. Cruzei coa aeromoça que saía do banheiro das leides; mesmo sabendo que a morena era brasuca, pedi-lhe um uísque em inglês, num sotaque bogartiano que faria Bogart cagar de rir. Ela olhou pra mim torporosa de sono, se é que não tinha acabado de tomar um shot de herô no banheiro, e respondeu em bom portuga da Guanabara Bay: "O café da manhã será servido logo mais. Acho melhor o senhor tentar dormir mais um pouco", e foi se acomodar na poltrona dela. Entrei no banheiro. Mijei. Me deu uma ardência fodida na uretra, típica de punheta ensaboada, pensei. Tirei o dross de dentro do isqueiro e meti debaixo da língua, como Pierrot tinha recomendado. Senti o gosto petrolífero do fluído impregnado na meleca preta, e tive que travar a garganta pra não vomitar. Saí do banheiro com o tal dross debaixo da língua, passei de novo pela aeromoça morena em sua poltrona e recebi dela um olhar que dizia claramente: "Se você me pedir qualquer merda, mando o comissário te chutar do avião cuma coca-cola família amarrada no pescoço". Aí, num assomo de impertinência galante, cantarolei: "O yeah, alright, are you gonna be in my dreams tonight?" Ela soltou seu mais glacial boa noite e eu voltei pro meu lugar, me lembrando de como aprendi inglês. Elisa, minha namoradinha de Barcelona, achava estranho que eu enfiasse tantas palavras e expressões anglo-americanas na minha fala. Dizia que era um índice notório de colonização cultural. Pra ela, o castelhano, imposto à força por Franco à marruda Catalunha, depois de 36, já era uma língua por demais invasora pra ainda por cima tolerar a intromissão ianque-britânica. Aí eu contei pra Elisa que num belo dia de 63, descendo a rua Augusta, em São Paulo, ouvi na porta de uma loja de discos uma voz rouca acompanhada de órgão, bateria e guitarras, cantando: "Once upon a time, you dressed so fine..." que pros meus ouvidos de 13 anos eram apenas "uanssaponataimiudressoufaine", mas que, de todo jeito, inaugurou na minha vida um estado de rebeldia eufórica contra a família, a escola e a tábua dos dez mandamentos. Comprei o compacto do Bob Dylan, ouvi "Like a Rolling Stone" umas cem mil vezes e me dispus seriamente a aprender inglês, língua que me perseguia por toda a parte em Sampa City. Claro que nisso ia muito de arrivismo pequeno-burquês colonizado, como diria o materialista-científico Rodrigues. Eu já tinha consciência de que pra vencer na vida no Brasil desenvolvimentista era preciso sacar a língua pátrix, o inglês. Me parecia impossível ter um Simca Rally, apê no Guarujá e uma namoradinha loira de shortinho vermelho e óculos ray-ban, sem falar inglês. No way, Claudinei. Agora, afora isso, eu tinha um interesse deslumbrado pelas palavras inglesas e os mundos que elas escondiam, de que eu entrevia fragmentos iluminados no cinema/tv: mulheres, carros e armas, made in USA. Country & western, bang-bang, rock, road, love. Os caubóis se chamavam Ronnie, Frank ou Joe e galopavam do Texas pro Kansas, tocando gado e pensando em sua Kathy bem-amada, saudável professorinha de bochechas rosadas, ou intrépida filha de fazendeiro, hábil na sela e no gatilho, loiras ou ruivas de cara sarapintada. E dá-lhe Shell no ford, Elvis no picápi e colt no coldre do caubói!

Qual fosse o barato do ópio, ainda não tinha batido. Só mesmo aquele sabor de refinaria na boca. Continuei me lembrando dos meus 13 anos, o cheiro moderno da calça lee de contrabando, o mocassin sem meia e a Whitman English School, no Jardim Europa, onde fiz meu pai me matricular. Tinha lá uma garota de cabelo caramelo e pele sempre tostada que ia pra aula de uniforme de tênis, com pernas grossas e bronzeadas lhe escapando do saiote branco plissado. Ela vinha pra Whitman direto da aula de tênis no clube Paulistano, que ficava ao lado. Chegava com raquetes e cadernos debaixo do braço e a mãe vinha buscá-la num impala novinho, daqueles de rabo em asa delta — "aerodinâmico", se dizia então. Foi por causa dessa menina que eu aprendi inglês; por causa dela, do saiote branco de tenista com pernas taludas dela, do impala aerodinâmico da mãe dela, da possibilidade nunca emplacada dum love entre nós. Once upon a time you dressed so fine... Tinha lá um professor inglês, embora o curso fosse americanófilo, loiro, magro, bonito, delicado, que me dava pra ler umas condensações in english do Tom Sawyer, Oliver Twist, Moby Dick, e os gibis do Charlie Brown. Me chamava depois da aula na sala dele pra me dar os livros, ficava papeando comigo, me olhando, me dando tapinhas no ombro. Um dia, na despedida, ele me abraçou e encostou seu rosto no meu. Daí, eu cabulei a aula seguinte, e na outra devolvi os livros que ele tinha me emprestado. Ele, muito fino, não aceitou a devolução, argumentando que os livros eram a recompensa pelo meu avanço no inglês, e não se falou mais no assunto. Mais tarde, botaram outro professor e eu nunca mais vi o inglês. Maria Lúcia, a tenista tesuda, foi minha colega de classe por três semestres consecutivos. Aí, aconteceu a cagada: Maria Lúcia não passou no exame pro quarto estágio, ficou pra trás. Deixar Maria Lúcia à mercê de novas intimidades numa classe estranha, repleta de meninos ricos que se bronzeavam no Guarujá? Nem pensar. Tomei a decisão que me pareceu mais cabível: cair fora da Whitman English School, que perdera uma dose essencial de charme pra mim. Maria Lúcia, claro, nunca se soube musa das centenas de punhetas fervorosas que eu lhe dedicava e que encheriam de porra apaixonada o tanque do impala aerodinâmico da mãe dela.

Eu sempre tive muita vergonha de confessar — Rodrigues me mata quando ler isso — que eu freqüentava a biblioteca da USIS, United States Information Service, no consulado americano do Conjunto Nacional. Eu saía do Colégio Pais Leme, na esquina da Augusta c/Paulista, atravessava a avenida, entrava no Conjunto Nacional e me internava no USIS. Passava horas sentado lá, folheando Times e Lifes, sacando o tempo e a vida dos big brothers. Não entendia por que eles não faziam também uma revista Death, pra completar o ciclo. Eu não tinha dúvida de que, se havia Deus, ele morava nos Estados Unidos, onipresente da Califórnia a Nova York, da fronteira com o Canadá à divisa com o México. E chorei muito quando balearam John Kennedy em Dallas. Achava que os *mariners* tinham mais é que exterminar aqueles chinas cruéis no sudeste asiático, tais de vietcongs. Comunismo pra mim era mijo de sapo: traiçoeiro, venenoso. Até que, no último ano do ginásio, me pinta um professor de, vê se pode, Educação Moral e Cívica, ex-major cassado em 64, membro do partidão, amigo de caserna do Lamarca, um sergipano bigodudo que pagou o primeiro chope da minha vida e me introduziu nas luzes marxistas: modo de produção, burguesia, proletariado, luta de classes, imperialismo, aquele papo todo. Abri os ouvidos pro samba de protesto — "feio não é bonito, o morro existe mas pede pra se acabar..." — e parti prum anti-americanismo bravo, de atirar ovo podre na limosine do secretário de estado americano em visita oficial à cidade, aos gritos de iankees go home, com sotaque apurado na Whitman English School. Depois que eu me declarei comunista, a imagem dos States ficou pendurada de cabeça pra baixo no altar dos ódios libertários. Virei guerrilheiro de jeans e tênis, tiete do Chê, e por pouco não descolo uma bolsa pra estudar na Universidade Patrice Lumumba, em Moscou. Well, tal sanha revolucionária não me impedia de ouvir todo o rock disponível na atmosfera eletrônica de São Paulo, de mistura com os protest-sambas, nem de transformar o fusca familiar num intrépido fórmula 1 e sair cometendo altas cagadas no trânsito, no melhor estilo "pra frente Brasil".

Daí, no meio dessa falação da rádio-cabeça, cochilei. Não sei se ronquei; prefiro acreditar que não; quem ronca são os outros, diria Simone parafraseando Jean-Paul. Sonhei, e podia vos contar o sonho que tive, mas sei que sonho é como peido, só o da gente é apreciável. O ópio? Devo ter engulido durante o breve cochilo, pois quando acordei só me restava o gosto de nafta na boca. Em todo caso, não senti a flutuação mental dos opiáceos, que eu já conhecia da heroína, espécie de alma benfazeja que abre as grandes asas transparentes no coração da mente. Com herô, depois do enjôo inicial, se é introduzido a um éden de imagens e sensações em que todas as demandas da vontade são logo sa-

95

tisfeitas pelo gênio da droga, sem a necessidade de se mover sequer uma falangeta — aliás, é recomendável a inércia total, sobretudo aos iniciantes, sob pena de vômitos convulsos. A merda é que depois de criada a dependência, o prazer de uma cheirada ou pico se resume ao alívio do inferno da privação, e os neurônios já não bailam a dança dos prazeres. Não cheguei a conhecer na carne as torturas da dependência; puxei o carro antes. Acho que tive sorte.

Ao abrir o olho, conferi a presença adormecida da minha companheira de viagem, a paulistana careta. Podia ver-lhe um pedaço de peito pela fresta do vestido. Eu andava muito necessitado de chupar um peito, ponderei. A janelinha do avião recortava um azul mais intenso que o dos sonhos de herô . Naquele instante, um pescador de Canoa Quebrada, no Ceará, levantou os olhos da rede mergulhada no mar verde, pro azul do céu, onde nosso avião prateava arranhando lento o silêncio da manhã. Será que já era mesmo Brasil? me perguntei. Ou ainda sobrevoávamos alguma revolta popular contra um daqueles ditadores sacanas da América Central? Um comissário empurrava o carrinho de vários andares com os pertences do café da manhã. No topo do carrinho tinha um arranjo de frutas tropicais coroado pela proeminência exuberante de um abacaxi. Uma aeromoça vinha na frente do carrinho ajudando o comissário a servir os passageiros, a maioria ainda adormecida. Alguns despertavam surpresos, com cara de "ué, essa merda ainda não caiu?" e se atiravam com avidez à comilança matinal. O abacaxi por fim chegou na minha fileira; perguntei-lhe se ali já era Brasil. Com uma ligeira oscilação da coroa ele respondeu que sim, this is Brazil, for sure. A aeromoça se debruçou sobre mim pra acordar a garota, que a custo abriu meio olho, resmungou qualquer coisa na língua invertida dos sonhos, virou a cara pro outro lado e se afundou de novo no coma canábico. A aeromoça me perguntou se a menina estava passando bem. "Ótima", eu disse, "não se preocupe. Mais vale um sonho bem sonhado que uma xícara de café com leite, cê não acha?" A aeromoça deu de ombros e me serviu café preto, suco de laranja em lata, croissants ressecados e uma fatia de abacaxi em conserva, segundo meus desejos soberanos de aeronauta internacional com direito a morte catastrófica noticiada em várias línguas. O abacaxi em conserva estava nojento. O carrinho coroado pelo abacaxi ornamental passou de novo por mim, recolhendo os detritos do meu desjejum. Me pareceu que o abacaxi, do alto de sua realeza, queria saber o que eu pretendia fazer no Brasil. "Nada, é claro", informei. "O que mais um filósofo contemplativo poderia fazer? Talvez rabisque mais um romancinho, entre um ócio e outro, pra manter as aparências. Um romance por década é uma boa média, cê não acha?" Mas o abacaxi não achou nada e deixou-se conduzir pelo comissário, em toda a sua pompa bromeliácea.

No Galeão, em trânsito pra São Paulo, sentindo o calor fresco do setembro carioca, não resisti: me enfiei num orelhão azul e passei um fio pruma grande amiga, a Lídia, só pra dizer alô. Ainda sonolenta — eram sete da madruga — ela me convidou pra passar uns dias na capital proibida do amor. Me lembrei dos cinqüenta dólares de Sheyla e topei. Depois de deixar em aberto minha volta pra São Paulo no balcão da companhia e de me desvencilhar da enxurrada de cambistas pé-de-chinelo querendo mamar meus parcos dólares, introduzi minha recém-chegada personalidade num táxi que me levou ao Jardim Botânico, rua das Acácias. Dei uma piscada pro céu, que bem podia estar azul, mas estava cinza suave, e fui ao encontro de Lídia e do meu Brasil brasileiro...

●

Pela primeira vez na vida eu estava me sentindo um pouco superior aos cariocas. Eu chegava de Nova York, e isso é trunfo na terra dos zébedeus. "Nova York, é?" — "É..." Daí, as pessoas queriam saber se eu tinha morado em Nova York, eu respondia que só uns dias; morar mesmo, morei em Paris, dois anos... Os olhares, então, analisavam minhas roupas, buscando indícios da minha superioridade. A verdade é que não causei espanto nem admiração nesses dias flanados sob os braços abertos do Redentor, pois só vestia jeans surrados, brasileiros por sinal, camisetas americanas com frases ou desenhos no peito e sapatos sambados, também made in Brazil. À noite eu jogava nos ombros um paletó de veludo italiano, um tanto ruço nos cotovelos e na gola, comprado de segunda mão numa lojinha em Roma, e tentava me sentir bonito na primavera carioca. Além das camisetas, eu usava também uns camisões que me batiam no meio das coxas, um cáqui, outro cinza-claro, folgadões, com grandes bolsos no peito. Meu jeitão geral era de um esculacho garboso.

Olhando a moçada nas ruas e nos bares, eu sentia que alguma coisa tinha mudado em matéria de lay-out jovem no Brasil. Todo mundo muito arrumadinho, moderno, pingando do banho de loja. Em certos quarteirões do Leblon eu me sentia o próprio clochard, perto dos dandies do pedaço. As meninas analisavam com mais curiosidade que cupidez a minha figura branquela, sem a aura solar do homem tropical. Pelo menos olhavam, ao contrário das européias que andam na rua com viseiras morais. Mas, que porra era aquela? Até eu me picar do Brasil, em fins de 78, a moçada era mais chegada num escracho, ficando a beleza por conta dos corpos e das atitudes, mais que da granfineza das roupas. Era até considerado mau gosto escancarar riqueza na indumentária, coisa de burguesia careta e classe-média burguesófila. Na França, idem; neguinho até se aplicava no esculacho pra não parecer clean. Agora, no fim do ano zero da nova década, com o mundo atolado na maior crise do século, a turma resolvia se cobrir de panos chiques. Bom, pensei, se o lance é envergar etiquetas, vamo lá; eu é que não vou ficar pra tia militante de modas pretéritas. Se Eros começa na roupa, vou me erotizar na primeira butique de Ipanema. Mas, logo constatei o óbvio: o esmolambo pop era bem mais barato que as novas etiquetas chiques; com duas calças lee fabricadas no Brás você atravessava anos a fio dentro da modernidade. Agora, roupa velha e gasta voltava a ter o mesmo significado de antes dos anos hippies: pobreza, simplesmente, sem o charme contracultural.

Anfan, como diria Baudelaire, lá estava eu na porta do apê de Lídia. Ela apareceu embrulhada num roupão de homem, com cara de sono, e linda como sempre. Linda e casada cum uruguaio — e grávida de dois meses, segundo me informou. Me instalou, me deu fumo e disse que ia voltar pra cama: "Fiquei cafungando até as cinco da matina c'o Miguel. Tomei um lorax pra dormir. Tô morta de sono. Té já, Quim", e me deu um beijinho na boca. Meu quarto era amplo e claro, como o resto do apê. Tinha só um colchão sobre o carpete e uma escrivaninha com tampo de granito. Olhando na janela, dei de cara com o Redentor, a cabeça sumida no céu baixo. Enrolei o primeiro charo brasileiro. Três tapas depois, o fumo, dubão, me devolveu às nuvens, de onde eu saíra há pouco. Fiquei como o Cristo lá no topo do Corcovado, head in clouds. Fui tomar banho. Sentia um cansaço excitado de pós-vôo. No chuveiro, soquei uma poderosa em homenagem às mulheres que eu certamente iria transar no futuro. À mim as cunhanzinhas da mata selvagem! E choc choc choc até esporrar no box, entre azulejos azuis e a cortida de plástico transparente, com água me escorrendo abundante pela cara. A ardência na uretra chamuscou um pouco meu gozo. Cada vez pior aquela ardência. Devia ser excitação pela chegada, mais as bronhas frenéticas. Me enxuguei, lembrei da Leila Diniz, tesei de novo, e quase soquei a segunda, mas resolvi me poupar. Eu tava que tava. Pelado na cama, dando um repique na diamba, estilhaços de memória caleidoscopavam na minha cabeça: sampa, mãe, pai, vida prática, sonia, paris, cinematecas, sabine, porre, literatura, budweisers in New York, e agora esse Rio mito-sexy que me esperava lá fora. Então, veio o pai do sono e me deu uma porretada na moleira. Saí do ar.

Acordei horas depois com o ruído tropegofegante do que me pareceu uma anta dançando polca. Vesti a calça e fui ver a anta. Era Miguel, o uruguaio da Lídia, de agasalho esportivo, fazendo jogging na sala quase vazia de móveis, entre almofadas e cinzeiros abarrotados de bitucas e capas de disco e uma porrada de livros espalhados pelo chão. Miguel era alto, acolchoado de banhas, moreno. Suava que nem suíno na sauna. Avançou pra mim de mão e abraço. "Olá Quincas, todo bién?" numa simpatia instantânea, canastrona. Perfeito latin lover que exagerou na macarronada e no chope. Achei engraçado a Lídia, supergatinha paulista encampada pelo Rio, se ligar num caretôncio daqueles, a ponto inclusive de ter um filho com ele. Depois, vendo

Miguel banhado e vestido, entendi tudo: ele era chique, modelitado, como todos os cidadãos da banda ateniense do Rio. Etiquetas modelavam-lhe as banhas. Além de chique, Miguel era rico, quer dizer, de família rica. Viera de Montevidéu com grana pra investir num bar chamado Grafitti, junto com Lídia que tinha recebido uma herança. A jogada tinha tudo pra dar certo, mas na real ia à borra. Eles tinham arranjado um sócio especial com participação nos lucros do bar, mas que de capital só entrava com seu prestígio na patota boêmia do Rio. Era o famoso poeta Marcus Montenegro, bebum lírico, sexajuvenário, sonetista neoclássico e letrista genial de sambas memoráveis. Tudo que Lídia e Miguel queriam dele é que se deixasse estar numa mesa cativa com o scotch obrigatório na mão, recebendo os pararicos da cidade. Só que não calhava nunca de Montenegro ir ao Grafitti, pois não conseguia desgrudar do restaurante que freqüentava há décadas, o Aurélio's, onde se reunia com sua canalha afetiva. O Grafitti, sem a poderosa isca do poetinha célebre, foi ficando às moscas e a uns poucos viados, sapatões e transeiros de pó malhado. Os amigos do casal que compareciam mandavam pendurar a conta e não eram nunca executados. Meus hospedeiros estavam falindo, o que dava ao apê da rua das Acácias um clima de últimos dias de Pompéia, versão classe-média alta. Faltava leite em casa, mas se tomava champanhe francesa e vinhos alemães. Tinha caviar, mas faltava torradinha. Entupia-se o nariz de cocaína, mas cadê açúcar na cumbuca.

Miguel me deixou à vontade, como se fôssemos velhos companheiros. Isso foi bom, pois não tenho talento nem saco pra batalhar simpatias. Lídia me contou depois que Miguel tinha ciúmes violentos dela e costumava aprontar altos escândalos.

Agora com a gravidez dela, ele andava mais aplacado. Uns vinte dias antes da minha chegada talvez não fosse tão receptivo. Mulher grávida entra pro coro dos anjos. De qualquer jeito, Miguel não teria muito com que se preocupar, sendo eu velho amigo de uma Lídia que jamais demonstrara tesão por mim. Pelo contrário, ela tinha até me descolado umas namoradas no passado, fazendo elogios canalhas da minha pessoa pras amigas dela. Talvez a gente se amasse de amor sublimado, que não dá vida boa a ninguém. Sei lá; o certo é que eu queria uma mulher com a mesma urgência patética daquele tio patso do Amarcord: "Io voglio una donna!" O homem se fez verbo e o verbo era foder. Na tarde do primeiro dia carioca, eu papeava com a anta Miguel e a garça Lídia, quando a campainha tocou e, de repente, me vi tête à tetinhas com uma ninfeta morena, miúda, de braços musculosos e cabelos molhados, espremida numa calça de pano fino que deixava bem visível o desenho da calcinha mínima, sem falar nos peitinhos delineados pelo colant de balé de manga cavada. Dezessete anos, Lídia me informou depois. Aqueles peitinhos caberiam na ponta de um bico de bem-te-vi. Os olhos do sênex fissurado babavam lágrimas seminais pela puella recém-chegada. A puella, pra confessar a triste verdade, não me dava nenhuma pelota. Só um oi rápido, quando Lídia nos apresentou. Eu nunca sei quando uma mulher tá ou não tá botando tento em mim. Os olhos das mulheres são feras sabidas que te abocanham quando você menos espera. Inda mais uma lolitinha apetecível como aquela, acostumada à guerrilha de olhares nas ruas e praias do Rio. Morava no andar de cima; queria saber se um certo pó inalante tinha pintado. Fez um muxôxo ao saber que não. 17 anos... Lídia, que me conhecia de velho e velhaco, sacou que eu me sacudia todo

102

dentro das minhas pelancas trintonas de puro tesão pela menina. Convidou Solange pra fumar unzinho coa gente. Meu coração ficou daquele jeito, dando pinote dentro do meu peito. Não aceitou o convite, alegando que um tal de Cacau esperava por ela lá em cima. Eu fiquei fetichizando os dedinhos dos pés dela, alinhados como quitutes nas sandálias de couro crú. Me imaginei pirulitando cada um daqueles dedos. "Hajam piedade as leis de quem, entregue à vontade, vai em poder de seus olhos". É isso aí, seu Sá, meus olhos me puxavam sem remédio praquele abismo delicado que o destino instalara na minha frente. Mas Solange se mandou e Lídia ficou me gozando: "Cê não se emenda, hein bostão..." Ela me chamava de bostão, forma áspera de intimidade que não me agradava muito, talvez por eu me sentir de fato um tremendo bostão. Confessei pra Lídia que nos últimos dias eu andava com o coração empalado no pau. Precisava urgente dum namorico. "Sossega, leão. Fissura não dá futuro", ela me aconselhou. E justo quem: Lídia sempre tinha sido a mais sapeca das minhas amigas, pluritranseira, esmagava corações com seu sapatinho de cristal, e vivia, por sua vez, chamuscando o loló em transações equivocadas. Só queria saber de sentar de frente pra porta, nos bares que a gente freqüentava em São Paulo, pra não perder nenhum lance do agito.

Lídia explicou que Solange tinha dois namorados, um guitarreiro, o outro surfista profissional. Tinha cheirado éter aos quatorze, queimado fumo e trepado aos quinze, cafungado aos dezesseis, e se algum ar virginal eu lhe havia notado é porque mui trouxa era eu. Foi aí que lembrei duma tipa que eu tinha transado em Paris, a Martha Maria, uma socióloga cearense trintona, bebadoida, boa praça, que — juro! — sussurrou no meu ouvido a seguinte palavra de ordem, quando eu comecei a chacoalhar dentro dela pela primeira vez: "Solta o bridão do alazão!" Aquilo me fez cair na gargalhada, cortando o barato sexual. Riso e gozo são dois dissolventes e não costumam andar de passo; se um avança, o outro estanca. Martha Maria morava no Rio agora e eu tinha o telefone dela. Não era muito bonita de cara, o que seus peitos e coxas durinhos e sua conversa cativante mais que compensavam. Mulher madura é o que há: ardem lentas. Telefonei pra Martha Maria. Ela mesma atendeu. Apesar de surpresa e contente por me saber na cidade disse que não ia dar pra me ver. "Tem boi na linha?" perguntei. "Boi? Touro brabo, meu filho", ela respondeu. Mas eu tanto insisti, e com acenos tão docemente sacanas, que ela me enfiou na agenda dela pro dia seguinte, um sábado. Disse que ia dar um jeito do touro brabo pastar alhures. Nos cruzaríamos às dez da noite, salvo tretas súbitas. Desliguei o telefone de pau duro. A carência é uma espécie de véspera dolorosa da felicidade.

Miguelito e Lídia me levaram pra conhecer o Grafitti. Tinha chovido e o Jardim Botânico cheirava a verde noturno, com matizes perfumados. O Rio se contemplava em luzes na lagoa Rodrigo de Freitas. O Grafitti ficava no Leblon e tinha uma patotinha na porta. "Olhaí, o bar encheu hoje em minha homenagem", comentei. Miguel esclareceu: "Ilusión, tchê, todo eso és punhetación de porta de bar. Los tipos metem la cara pra ver quiém tá, quién no tá, dan um tiempito e se van, los cabrones. No consomem. És una mierda, tchê. Montenegro nos hodió, poeta genial que sea y el carajo". De fato, lá dentro as falências conversavam melancólicas com os prejuízos nas mesas vazias. Tomamos um scotch embarrigados no balcão. Lídia investiu umas notas num papelote oferecido por uma

104

garota branquela que não parava de mastigar os lábios. E puxamos. Fomos numa cantina italiana na rua de trás. Saí da cantina ponderando que a cocaína tinha se adaptado melhor que o caneloni ao Rio de Janeiro. E voltamos pra debaixo da mão direita do Cristo iluminado. Me rendi ao cansaço, recusei o pó que Lídia esticava numa capa de disco e fui pra cama. Soquei uma, sonhando que enrabava Solange. Daí, afundei no lodo do sono. Se não sonhei com maçãs, sonhei com goiabas. Ora, abobrinhas.

●

A campainha esgoelava e ninguém ia atender. Olhei o relógio: duas. Luz da tarde de tocaia atrás da janela basculante. Virei pro outro lado. A campainha gania. "Catso", resmunguei, encoxando o travesseiro-Solange. Acordar todos os dias grudado naquela gata era o segredo da vida eterna. Trampo, grana, morar, comer — nada disso tem importância se você possui uma Solange na cama. A campainha urrava sob o dedo cruel. Me levantei, me enrolei no lençol listrado e fui esganar o impertinente. A porta do quarto do casal fechada. Nem sinal da empregada. Eu pretendia encoxar o travesseiro por mais umas duas horas. Abri a porta e dei de cara com Solange, de minissaia justa e sandálias de escrava grega com tiras trançadas até os joelhos. E eu ali, escondendo o corpo atrás da porta, pelado debaixo do lençol que nem um Sócrates de chanchada da Atlântida. Fez-se a Grécia. Pelo tobogã da minha língua escorregou a seguinte frase: "Sê benvinda, bela púbere! Por Afrodite, bom dia pra ti colibri!" Ela soltou um "Quê?" rindo, e entrou. Eu já ia fechando a porta quando uma força imperiosa pressionou do lado de fora. Fui jogado pra trás, pisei no lençol, caí de bunda no chão, meio nú. A força imperiosa era um rapagão loiro e ombrudo, tisnado de sol, um Alcebíades metido numa camiseta do Flamengo. Acompanhava a filha de Afrodite. Me deu a mão pr'eu levantar. Pelo atlético do porte, deduzi que o carinha era o namorado surfista da Solange. Eu disse: "Ô meu, desculpe, não te vi". E ele: "Tá limpo". Expliquei que o casal ainda dormia, mas a ninfeta, íntima da casa, foi entrando no quarto deles. O assunto na certa era pó. Mais duas ou três gerações cafungadoras e os cariocas vão nascer com tromba de tamanduá. O surfistão ficou comigo na sala. Sócrates sonado fazendo sala pro Alcebíades solar. Vontade de propor ao cara: xará, me amarrei na tua mina, me vende o passe dela por cinqüenta dólares?

Lá do quarto do casal vinham risadas fêmeas. Tentei engrenar um papo com o surfista à base de perguntas idiotas, tipo: "Cê é daqui do Rio?" e "Cê estuda?" e "Mora c'os pais?" Fiquei sabendo, por exemplo, que o surfista não era surfista e sim guitarrista duma banda de rock. A banda chamava "Caranguejos do Posto Nove". Só estudava música. Morava cuns amigos em Copacabana. Se o guitarrista era aquele tremendo Apolo, imaginei como não seria o surfista. Um titã tantã e tatuado, na certa. Solange saiu rindo do quarto e se despediu de mim com um beijo. O guitarrista esmigalhou meus ossinhos da mão num aperto viril. Solange tinha me olhado com mais atenção — ou era só delírio? Lídia tinha dito a ela, no quarto, que eu era escritor. Segundo Lídia, ela ficou interessada, nunca tinha visto um escritor na vida, quis saber o que fazia um escritor. Minha amiga foi de um didatismo exemplar; disse que um escritor escrevia. Eu discordava: um escritor que se preza não faz nada. Solange pôde contemplar o primeiro escritor de sua

106

vida, a dois palmos de distância, enrolado num lençol de listras azuis. Ela, que deitava e rolava com guitarristas e surfistas esculturais, quem sabe não topava experimentar um escritor magrelo com pança alcoólica, pra variar. Fui mijar e senti de novo a ardência na uretra, bem mais forte dessa vez. Devia ser o efeito cáustico da nova década, pensei. Me olhando no espelho, ponderei: hoje é sábado, amanhã é domingo. Os bondes não andam mais em cima dos trilhos, mas de qualquer jeito amanhã cê pega um avião e toca pra São Paulo, falô? Fim da trip, xará. A menos que Solange... nem é bom pensar. Em São Paulo ninguém sabia que eu estava no Brasil. Melhor, assim eu podia escolher a quem cruzar primeiro. Pensei: Sonia. Será que ela ainda... Estava dois anos mais velha, já não era a deslumbrante teenager que eu tinha transado. Devia ser agora uma deslumbrante mulher. Eu também não estava mais nos meus anos vinte. Já tinha emplacado trintinha. Meu amigo e conselheiro Valadão mandara um telegrama a Paris no dia do meu aniversário: "Parabéns pelos trinta. Sossega que o pior já passou." Inseguranças sexuais, profissionais, intelectuais, metafísicas, tudo isso eram relíquias no museu da memória. Agora, mais descolado na vida, tudo era lucro, pelo menos enquanto minha carcaça desse conta dos meus desejos. Era o que eu pensava. "É o que ele pensa", se disseram os deuses, num sorriso de mármore. Meu projeto de existência era de um hedonismo primário: espremer a vida até a última gota de prazer. Meus guias eram fortes, eu achava; haviam de me dar boa rede na varanda, brisa amena e meninas bonitas pra me fazer cafuné. Não me interessavam as instâncias ditas fundamentais da existência: trabalho, família, política. "Oi, dessa vida o que se leva é o que se come, o que se bebe, o que se brinca, ai ai..." — eis o lema daqueles meus dias frágeis. Vadiagem, alienação poética e individualismo errante, era tudo que eu pedia ao destino. Dona Culpa, velha beata raquítica de bigode e verruga no nariz, dona Culpa que se fodesse. Um projeto greco-beatnik de existência: ócio e curtição. Voltei pra cama e puxei uma suave palha abraçado à minha Solange de fronha.

No final da tarde fui pegar uma praia com Lídia. O dia estava meio bundão, mas quente, com possibilidades de azul no cinza luminoso do céu. Miguel largou a gente no Leblon e seguiu em frente; tinha que tomar providências no Grafitti, o grande dreno de seu capital e humor. Lídia não se metia na administração do negócio. Miguel ficava com a parte do *neg*, ela se encarregava do *ócio*. Notei que o corpo de Lídia, exposto pela generosidade de um mini-biquini, deixava de ser magrelinho e leve, como antes, pra se arredondar nos ângulos e atenuar nas curvas, por causa da gravidez. Eu podia ver os bicos dos peitos dela através da trama larga do biquini de crochê. Sem falar nos pentelhos singelos que lhe escapavam por cima da calcinha mínima. Comentei com ela: "Inda bem que eu nunca cometi a imprudência de me apaixonar por você..." Ela só fez sorrir e olhar o mar. Eu tinha levado o meu roman pra ela dar uma espiada. Duzentas e tantas laudas datilografadas num saco plástico, saldo de dois anos de vadiagem do outro lado do Atlântico. O sol crepusculava em cinza e não ameaçava a brancura esverdeada da minha pele. Tirei uma soneca estendido na toalha, enquanto Lídia sapeava o meu texto. Acordei com suas gargalhadas. "Que barato, Quincas, não consigo parar de ler. A cena do peido no elevador é hilária." Meu ego ficou tinindo. Tudo que eu quero na vida é que as mulheres me achem engraçado. E foi aí que minha amiga formulou uma pergunta simples mas fundamental: "Quê que teus pais vão achar disso?" O *isso* se referia às putarias, drogarias e reflexões debochadas sobre a vida, que eram a matéria do meu romance. Lídia conhecia meus velhos — Paulo, de sessenta e tantos, consumidos em escritórios modorrentos, e Laura, cinqüenta e poucos anos de prendas domésticas — e sabia que eles tinham de mim uma imagem razoavelmente impoluta. Me achavam meio esquisito, mas respeitador de morais e deveres profissionais. Achavam que eu ia voltar da França coberto de galardões acadêmicos, pronto pra abiscoitar altos cargos e salários. Se lessem meu romance ficariam no mínimo chocados. Magoados. Putos. Meu pai, cardíaco, era capaz de tombar fulminado por uma síncope, e minha mãe, rainha das hipertensas, podia sufocar numa crise de apoplexia. Ambos morreriam esticando dedos acusadores pra mim. "Ora", disse à Lídia, "eles nunca vão ler isso. Não tem perigo." — "Mas como não vão ler? Cê não vai batalhar publicação?" — "Vou, claro... mas vai ser um troço sem muita repercussão, petí comitê, eles nem vão saber. Os velhos são completamente por fora de tudo." — "Quim, deixa de ser besta. Um livro circula. Dia mais, dia menos cai na mão deles, ou de algum parente que vai falar pra eles. E aí?" — "Bom, eu sempre posso usar um pseudônimo, né?" — "Mesmo assim... Pseudônimo é um biombo muito transparente, é capaz de chamar mais atenção sobre você. Aí vai ser pior, escuta o que eu tô te falando."

Fiquei olhando o mar que se encrespava com o vento do final da tarde, vento frio, recuerdo do inverno recente. Um cubo gelado de pura angústia foi se delineando no meu peito. Mostrar aquele livro aos velhos equivalia a descarregar um 45 na cara de cada um. Mas eu daria um jeito. Sempre pinta um jeito pra dar. Agora, era só aquela tarde macia com algumas meninas na praia e o mar se excitando na minha frente e o horizonte flú balizado pelos morros e Lídia fazendo um filho ao meu lado e os meus trintanos novinhos em folha, dispostos a todo uso e abuso que eu viesse a fazer deles, e tudo ia dar pé, conforme Gil não parava de cantar nas rádios. E o que não desse pé que se fodesse. Não há questão que não se resolva com um foda-se bem aplicado.

A noite acabou chegando. Noite carioca. Dez o'clock. Martha Maria veio me encontrar no apê da rua das Acácias. Lídia me consultara antes sobre a cabeça da cearense em relação a drogas. Álcool e fumo, tudo bem, eu disse, que em Paris a gente tinha se empapuçado de ambos. Quem andava com uma garrafinha de conhaque na bolsa, como ela, não se espanta com nada. Martha Maria chegou toda de branco, camisa e calça, com um pulôver azul-marinho jogado nos ombros. Estava uma perfeita mulata, pros padrões europeus: queimadíssima de sol, cabelos negros brilhantes. No seu rosto faltavam os traços que desenham a beleza inequívoca. Tinha lábios finos, o que era uma pena, pois lábios grossos combinariam melhor com seu jeitão fogoso. O nariz, grande e reto, não ficaria mal num homem. O que ela tinha de bonito mesmo era a testa larga, as maçãs salientes e os olhos negros-negros. Pra mim bastava. Lídia abriu o papelote comprado na véspera e despejou o pó branco na fórmica da mesa da cozinha, a única do apê. Informou que pro Leblon aquele pó até que não era dos piores. "Escama de peixe", ela disse, técnica. O Rio de Janeiro é a saída da Bolívia para o mar, pelo que eu ia percebendo. Martha foi a primeira a cafungar; eu e Lídia em seguida. O bem-estar turbulento da droga nos possuiu. Íamos passar no Gra-

110

fitti, na seqüência, pra apanhar o Miguel e sair pra jantar. Depois de cinco minutos nos confessamos: os três coraçõezinhos batucavam um frevo rasgado. Martha comentou: "Vige, esse pó tá mais malhado que Judas no sábado de aleluia". Mas, tudo bem, tudo bem, ninguém estava ligando muito pra saúde ou lucidez naquela noite. Mamávamos num Jack Daniel's que Sheyla tinha me dado em Nova York. Certa altura, Lídia foi trocar de roupa e eu aproveitei pra passar a mão na cabeleira negra de Martha Maria. Ela estava simpática comigo, mas de uma simpatia genérica e não libidinal-amorosa como eu queria. Fiz a carícia no cabelo de MM e MM sorriu encabulada. Entre nós, a mesa de fórmica coas fileirinhas brancas. Parecíamos antigos namorados que há muito não se vêem: íntimos na memória, desajeitados e formais no aqui-agora. A gente tinha transado três noites seguidas em Paris, na véspera da volta dela. Nos conhecemos na sua festa de despedida, onde eu tinha ido parar por acaso, e o picirico rolou gostoso, depois do "Solta o bridão alazão!" Em Paris, ela não me pareceu pertencer à raça das pudicas. Se bem que acima do equador os libidos terceiro-mundistas costumam ficar de pernas pro ar; agora, abaixo da linha imaginária, é possível que lhe tivesse voltado algum pudor. De todo jeito, a noite apenas começava, não era o caso de cair logo de boca.

Martha Maria sorria de olhos baixos. Tinha vindo me ver, estava ali na minha frente, com sua camisa branca de linho estalando de limpa, sem sutiã por baixo. Era um pouco mais velha que eu, mas tinha um corpão rijo, em muito melhor forma que o meu. Contei um pouco de Nova York pra ela, que me falou do seu trabalho na universidade do Rio — era professora de economia, pós-graduada em Paris — até que Lídia voltou e esticou mais

111

uma carreira do divino pra cada um. Depois, acomodou o resto do pó na minha garrafinha cafungológica, enxugamos nossos copos de uísque e caímos na night. Novamente o circuito da lagoa Rodrigo de Freitas no fusca de Martha. Cinemá merveille na tela da janela: Rio by night cintilando na cabeça mitificadora de um paulista. Lídia ia atrás, eu ao lado de Martha. Falei pras duas que eu tinha lido o Fellini dizer numa entrevista que adorava conversar num carro em movimento, que isso era o próprio cinema falado. Lídia, por sua vez, comentou que tinha lido no Cocteau que a única coisa capaz de tornar a ausência do ópio suportável prum opiômano é andar de carro. Martha disse que nunca mais tinha andado sem carro, desde que chegara do Ceará, dez anos antes. Nos tempos parisienses tinha um Citroen 2 cavalos, no qual rodara quase toda a Europa. Carro era um prolongamento do seu corpo, tanto que ela sentia na pele qualquer arranhão no pára-lama. Eu disse que não queria mais ter carro em São Paulo: vivia muito bêbado e lunático pra dirigir automóvel. Já estava há dois anos sem guiar e achava ótimo a sensação de ser conduzido, em vez de conduzir. A imaginação e a inteligência se soltam mais quando não é você quem dirige. Martha argumentou: "Só se for em Paris, meu filho, que tem metrô pra todo lado e aqueles ônibus espaçosos. Transporte público aqui é foda, estouro da boiada comprimido numa lata de sardinha. Ônibus sujos, quebrados, apinhados, que demoram séculos pra chegar nos lugares." Aí, eu apelei pro dramático: "Cê sabia que desde 1920, por aí, quando saiu o modelo T da Ford, que foi o primeiro carro produzido em linha de montagem no mundo, até hoje, morreram mais de vinte e cinco milhões de pessoas em desastres de automóvel, sem contar outros tantos milhões de aleijadinhos? Sabe

112

lá o que é isso? É mais carne humana do que todas as guerras deste século já conseguiram estraçalhar." Do banco de trás, Lídia reclamou, imitando bicho-grilo do Baixo Leblon: "Ãi, Quin, que pãpo, mãis bãixo ãstral, cãra. Muda de estação, cãra, isõla." Daí, ela acendeu uma bagana, aspirou fundo e concluiu o assunto, prendendo a respiração: "Eu prefiro rádio-táxi ou chofer particular". O rádio tocava a versão de Gil do Woman No Cry, do Marley, "tudo tudo tudo vai dar pé..." O charo rodou entre nós. Ofereci um tapinha pra noite, que recusou — já estava empapuçada de estrelas. Nisso, passou xispando do nosso lado um camburão da pm. Um dos ratos olhou bem pra gente. Pronto: blitz, cana. Vou chegar algemado em São Paulo. Esfriei, caretiei. Mas a rataria passou reto. Lídia falou: "tá que pariu, tem cada vez mais rato nessa cidade, é uma blitz por quarteirão, tá foda..."

Chegamos no Grafitti flutuando no bote coca-cannabis. Martha flutuava mais que Lídia e eu. "Fumo me deixa completamente zambeta", ela disse, pra justificar o número alarmante de vezes que dobrou a esquina errada, atravessou faróis vermelhos, ficou parada em faróis verdes, ligou o pisca-pisca pra esquerda quando ia entrar à direita, ameaçou a integridade física dos pedestres e outras pequenas barbaridades. Fez uma baliza primorosamente punk na frente do Grafitti, espancando os pára-choques dos dois carros que demarcavam a vaga. Entramos no Grafitti. O barman disse que Miguel estava no escritório do bar, no andar de cima. Subimos por uma escada emparedada e estreita, quase sem luz. Teto, parede e degraus pintados de bordô escuro. No meio da escada dois carinhas se beijavam, barrando a passagem. Fui o primeiro a atravessar o beijo dos dois; não sei não, mas acho que rocei num pau duro. Podia ser também um drops salva-vidas no bolso de um deles. No escritório, Miguel esculhambava um garçon, um tipo gayforme de roupa branca e avental vermelho bordado com o logotipo do bar. Interrompeu a esculhambação pra beijar Lídia e me dar a mão. E retomou o esporro, por causa de horário, pelo que entendi. O garçon, mais vermelho que o avental, de humilhação e ódio, não olhou pra mim nem pra Martha; só cumprimentou Lídia e se mandou, cabisbaixo e tenso, ainda sob os xingamentos de um Miguel iracundo. Miguel, então, trancou a porta, resmungando contra "esos cabrones de mierda que me quierem hoder la vida", tirou um poster da Marilyn Monroe da parede deixando à mostra um cofre, abriu o cofre, que estava destrancado, e tirou lá de dentro um espelho com cocaína geometrizada em várias fileirinhas. Meu coração dançava o baião da anfetamina, mas não resisti: caí sniflando no pó do patrão. Eu não precisava me preocupar com a saúde, que já tinha perdido há tempos. Cinco degraus me deixavam cos bofes de fora. Era raro o dia que eu não vomitava. Quando pulava rápido da cama ou de uma cadeira, o mundo em volta saía de prumo e um zumbido supersônico atravessava minha cabeça de ouvido a ouvido — ziiiiiiim! Meus olhos despencavam no abismo de duas olheiras profundas. Estava magérrimo e pançudo, feito cobra depois de engolir rato. A merda é que eu gostava demais da zoeira das drogas, do rock pauleira de pensamentos e sensações que elas provocam, irrealizando o mundo e realizando todas as fantasias — pelo menos enquanto dura o brilho da piração. Além disso, eu insistia em me sentir feliz, e a felicidade tudo perdoa. Mas eu andava planejando dar um tempo nos bagulhos quando chegasse a São Paulo. Tomar sol, nadar, comer bem, essas ondas. O corpo é uma estrela cadente, e não adianta re-

114

clamar pro fabricante, que ele mora duas ou três estações além do infinito e tá cagando e andando pra gente.

Depois de um restaurante de frutos-do-mar — mal tocamos no rango; em compensação nos encharcamos de vinho branco — e de um bar buchichado no Baixo que nos forneceu boa dúzia de chopes, Miguel e Lídia, Martha Maria e eu desaguamos numa boate da retro-moda. Quer dizer, era um lugar novo onde ia a velha guarda boêmia do Rio ouvir o piano de Luís Carlos Vinhas. Não lembro o nome da boate, nem como fomos para lá, nem mesmo se o Luís Carlos Vinhas tocava piano naquela noite; só sei que, a certa altura, senti a mão de Martha Maria bolinando minha braguilha por baixo da mesa. Ela tentava puxar o zíper, no que lhei dei uma força. Àquela altura eu já tinha lascado uns beijos nela, beijos mordidos e cuspidos com sabor de lata de lixo: drogas, biritas, comida, tabaco. Ela pegou no meu pau mole com a mão molhada de segurar o copo de uísque. Miguel conversava com alguém, ao lado do piano; Lídia tinha se abandonado de comprido no banco estofado e roncava alto, com toda a beleza e finesse. Não vi ninguém em volta da nossa mesa; acho que o bar já ia fechar. Meu pau cresceu um pouco na mão da cearense, aquela altura inteiramente vesga de porre. Então, ela deu um golaço no uísque aguado e mergulhou de boca no meu ventre, gaivota tonta, abocanhando o peixe. É difícil descrever a sensação de uma boca gelada chupando o seu pau; o meu, no caso, não chegou a ficar duro de verdade. Meu superego logo apontou um garçon que vinha na nossa direção. Puxei rápido a cabeça de Martha pelos cabelos e cubri o pau jonjo coa fralda da toalha da mesa. Cum olho focado no infinito e o outro na África, ela perguntou: "Que foi?" — ao mesmo tempo que o garçon se aproximava pra perguntar se precisávamos de alguma coisa. Disse pra ele que a moça não estava se sentindo muito bem, acordei Lídia e, depois de alguma falação mole e desconexa, convenci as duas a irem ao banheiro jogar uma água na cara. Foram abraçadas, ziguezagueando entre as mesas, aos tropeços e esbarrões, e não se sabia quem sustentava quem. Pedi uma água mineral pro garçon. Fiquei ouvindo uma melodia indistinta ao piano, bossa-nova jobiniana qualquer. Eu precisava vomitar, só que não vencia a preguiça de ir ao banheiro. Martha e Lídia voltaram, a cearense parecendo nórdica de tão pálida. O garçon trouxe a água, que deixei intocada na mesa. Daí, eu comecei a rir um riso destrambelhado, insano; afundei no banco às gargalhadas, me desfazendo em derrisão, não conseguia parar. As duas começaram a rir também, sem saber por quê. Miguel se juntou a nós e logo aderiu ao coro gargalhal. Tive câimbras no diafragma de tanto rir. Saí da boate abraçado a Martha, sempre às gargalhadas, e foi rindo que entramos no carro, os quatro.

No caminho baixou-nos um silêncio submarino. Martha falou que precisava vomitar. Miguel parou o carro ao lado duma árvore, saímos todos, eu segurei a testa da cearense, e ela liberou o suco podre das entranhas. O vômito respingou no meu sapato. A custo, travei na garganta meu próprio vômito. Lídia ofereceu um pano sujo que estava no porta-luvas do carro pra cearense enxugar a boca. Depois, paramos numa farmácia pra Martha tomar um xantinon com glicose na veia. Eu queria ver Martha boa logo; tinha planos pra seqüência. No apê da rua das Acácias, Lídia esticou na fórmica o que restava do pó da garrafinha. O casal e eu caímos chinflando. Forcei meio litro d'água pra dentro do bucho da minha companheira, tomei outro

116

meio litro e fui pro banheiro dar uma cagada. Tinha uma Playboy numa cadeira, fiquei vendo umas atrizes peladas, tesei um pouco, a cabeça do meu pau esbarrou na louça molhada da privada. Foi passando o papel higiênico na bunda que me ocorreu a necessidade urgente de instaurar um mínimo de romantismo na cena. Saí do banheiro arquitetando lirismos pra dizer a Martha. Não encontrei ninguém na sala. A porta do quarto do casal já estava fechada. Risos lá dentro. Martha Maria não estava na cozinha. Não estava em nenhum lugar visível. Teria sido raptada por petrosheiks? Desatomizada numa implosão celular? Ou pinicara-se simplesmente? Saco... — resmunguei — ... outra punheta... haja punho. Um terço preocupado com a cearense arquichumbada derivando de fusca na madrugada carioca, dois terços chateado pela foda perdida, entrei no quarto, já desabotoando a calça que tinha ficado de braquilha aberta desde a boate. Encontrei Martha espichada de bruços no colchão de solteiro. Estava de roupa e descalça. Ninguém viu o sorriso obsceno me iluminando a cara. Me agachei do lado dela, passei a mão no desengonço de cabelos dela, desci a mão pelas costas, acariciei a bunda calipígia, agarrando com delicadeza uma nádega de pano. Martha soltou um longo, interminável suspiro. Achei que ela ia esvaziar feito um joão-bobo furado. Continuei apalpando a bunda de Martha, que não teve mais nenhuma reação. Pelo jeito, ela pretendia passar um par de eternidades naquela cama. Decidi que, pelada, ela estaria mais confortável para enfrentar as eternidades. Arrancar a roupa de Martha foi uma operação complicada, pois eu estava zonzo, com marés de vômito avançando pra boca quando eu abaixava a cabeça, e, além disso, a cearense não ajudava em nada. Arrastei-a pelas pernas da calça pra fora do colchão.

117

A calça acabou saindo. Ela resmungou palavras borradas, sem abrir os olhos. Calcinha e camisa foi fácil tirar; difícil foi guindar seu corpo inerte pra cama de novo. No meio dessa operação, Martha foi saindo do limbo alcoólico pruma semi-consciência pastosa. Fiquei pelado. Ondas de tesão pinicavam meu corpo, embora meu pau não ultrapassasse 30 graus de ereção. Da mente à pica, Eros se emaranhava nas toxinas, sem energia pra comandar o sangue ao lugar certo. Mas isso não era problema; depois de uma certa hora da madrugada, com meio pau se faz a obra. Contemplei o corpo da brava, da forte, da filha do norte. Martha tinha um corpo mais jovem que ela, sem muitas sobras e dobras. Desfalecera de novo; parecia morta. Linda que ela ficava de morta. Ajeitei Martha morta de costas, montei nas coxas unidas dela. Fiquei olhando pra ela. Os cabelos pretos tapavam-lhe uma parte da cara. Baixou um santo necrófilo em mim. Ê Gira! Pensei, num estalo de língua: vou comer esse belo cadáver. Então, abri as coxas morenas da minha defunta amada, aproximei a cara dos seus pelos, aspirei o lírio do mistério, tive um arrepio, e caí de língua no mato cerrado. ... *Entre fezes e urina nascemos* — dali viestes pr'ali retornarás... foi demais: só deu tempo de virar a cara e apontar o jato de vômito pro chão. O vômito respingou em nossas roupas comuns esparramadas. Martha, a nocaute, nada percebeu. Fui gargarejar no banheiro e aproveitei pra vomitar mais um pouco. Mandei três aspirinas com água torneiral, mijei doído — mijar era um suplício cada vez maior — voltei pro quarto com o tapetinho de pano do banheiro e dei um trato geral no vômito do carpete e roupas. Daí, joguei o tapetinho pela janela aberta. Os dedos róseos da aurora já siriricavam as nuvens do céu do Rio. Martha se virou de bruços; estava bem viva

118

aquela morta. A visão daquela bunda triangulada em branco pelo biquíni contra a morenice compacta do resto do corpo acrescentou mais uns 15 graus ao ângulo do meu tesão. Um pau a 45 graus já está tecnicamente duro. Me assaltou uma vontade: comer aquele cu. Por que não? Madame parecia não se importar com coisa alguma. Entreabri as nádegas da morena e untei de cuspe a íris rugosa do cuzinho dela, cor-de-rosa como os dedos da aurora. Enfiei o indicador lá dentro, devagarinho, como reza o manual do perfeito e delicado libertino. Ela teve um estremecimento, gemeu, remexeu a bunda, num sinal que interpretei como de aprovação. Um cheiro mesclado de vômito, merda e suor climatizava o ambiente. E havia passarinhos na antemanhã. Então me preparei pra entrar no De Profundis de Martha Maria. Deixei o cuspe cair em cascata lenta na ponta do meu pau quase ereto e avancei, embocando a cabeça no botão de carne quente. Meu pau dobrava em corcova; e mais dobrava se eu mais avançava, flexível, o puto, bem na hora que a nação exigia firmeza e rigor. Apertei o cabo do bicho pra endurecer a ponta; consegui avançar mais dois ou três milímetros. Martha gemeu baixinho. O resto não havia meio de entrar. Deixei cair mais cuspe na fuselagem do míssil, que avançou mais um milímetro e emperrou de novo. Cu exige tesão total, pau a 90 graus, tinindo. Tive que desistir. Perdi um cu de bandeja. Pena. Pena mesmo. Mas não deixei barato; desentubei o bicho, percorri os centímetros da terra-de-ninguém que separavam o cu da buceta, e afundei o herói nas carnes bambas do sexo da minha companheira. Molhadinha! Safada... curtindo o tempo todo, na moita. Ali, foi que foi: slippin'n'sliding no terreno escorregoso, liso, fácil. Tesei total. Martha devia estar sonhando que metiam nela. Eu fodia um sonho.

No que eu tô ali, encarapitado sobre Martha Maria, meu pau atolado no mangue gozozo dela, a porta do quarto se abre de sopetão e entra em cena uma Lídia descabelada, respingada de sangue, num alvoroço de gestos e choro convulso e palavras desconexas, me puxando pelos ombros, por trás, pra fora daquele paraíso natural. Nunca saí de um lugar tão a contragosto. "Porra, que foi?" eu falei, caindo de banda, coa mandioca lustrosa e o coração disparado. Lídia ofegava: "O Miguel pirou! Cê tem que me ajudar! A gente brigou de porrada, ele tá quebrando tudo no quarto, ele quer me matar! Meu Deus, quê que eu faço! Pelo amor, Quincas! Pelo amor!"

Desespero. Drama. De calcinha e camiseta, Lídia me puxava pelo braço. Mal tive tempo de vestir a cueca, molhada de vômito, botando pra cima meu pau que ainda não tinha amolecido. A cabeça do pau ficou presenciando os acontecimentos por cima da cueca. Entrei no quarto do casal e vi Miguel pelado, de pé na cama, estraçalhando com mãos e dentes um vestido. Sangue brotava da cabeça e das mãos do uruguaio, compondo abstrações vermelhas na sua nudez balofa. A luz do abajur projetava a sombra insana dele no teto e na parede da cabeceira. Um diabo gordo soltando labaredas de imprecações, "puta que la vida, la corro, la mato, carajo, puta que me parió", e mais puta que isso e puta que aquilo, e outras pragas do lunfardo de Montevidéu que eu não conhecia. As portas do armário embutido estavam escancaradas, roupas de homem e mulher espalhadas pelo chão junto com despertador, violão destroçado, livros de ventre aberto, máquina fotográfica, notas de cruzeiro, dólar e peso uruguaio, papéis, cinzeiros, fitas cassete — cacos de caos. Miguel grunhia num furor patético. Nem sei como não ouvi aquela zorra

120

no quarto ao lado. A gente só escuta mesmo o que quer. Considerei a possibilidade de aplicar um bom murro no estômago do cara, pra ele se dobrar às circunstâncias de hora e lugar, e eu poder voltar aos amenos trabalhos da carne. Mas eu nunca tinha socado o estômago de ninguém antes. Talvez fosse mais prático pegar um grosso dicionário de inglês, ali no chão, e jogar na cabeça dele. Tinha medo, porém, de não acertar. Tinha medo, na verdade, de tomar qualquer atitude. Com um tresoitão na mão, tudo seria mais simples. Não deve ser difícil apertar o gatilho. Afinal, tanta gente aperta tantos gatilhos todos os dias no mundo. Um tiro, e pronto; depois eu pensava no assunto. O que acabei fazendo foi encher os pulmões com o ar denso de ódio do quarto e berrar: MIGUEL! PÁRA COM ISSO, PORRA, SENÃO EU VOU CHAMAR A POLÍCIA! CARALHO!

Ele estancou, com o vestido esfrangalhado nas mãos, metade do rosto tinto de sangue, e me encarou. A insânia crepitava naquele olhar sangüíneo. Gelei. Puta merda, vai sobrar pra mim, pensei. Não sei quanto tempo durou aquele olhar de serpente obesa que nos imobilizou, a mim, a Lídia, que se escudava trêmula atrás de mim, e a ele próprio, o desvairado. Avaliei a força do adversário. Ele era massa, o filhadaputa; se partisse pra cima de mim com aquela raiva toda eu estaria agora escrevendo minhas memórias póstumas na escrivaninha celeste do Brás Cubas. Bem pensando, aquilo não passava de um faniquito sensacionalista del milonguero Miguelito; mas, na hora, a gente acha que tudo pode acontecer. Aí, ele deixou os braços caírem em abandono ao longo do corpo, uma das mãos segurando o vestido esfrangalhado, armou careta de menino magoado e desatou um choro sentido. As pernas dele fraquejaram, e ele, mais seu barrigão y tetones, desabou de joelhos na cama. Tapou o rosto com o vestido e teve soluços monumentais de anta trágica que faziam a cama chacoalhar. Então, Lídia foi lá e abraçou o corpanzil ensangüentado do homem. Minha amiga amava pra valer aquele estrupício. Eu me mantinha a uma distância prudente; aquela paz choramingante podia ser apenas o intervalo entre duas erupções de violência. Lídia me disse: "Quim, tá tudo legal agora... desculpa, tá?... eu... me deu um medo, sabe... mas tá limpo agora... a gente conversa amanhã, tá legal?"

Os dois ensangüentados, Miguel coa cara enfiada no peito dela, o quarto numa desolação de saloon depois do bang-bang, e tava tudo limpo, tudo legal... Então tá, eu disse. Dei as costas pra pietá entre escombros e voltei pra minha cearense, que devia estar dormindo profundamente uma hora daquelas. No hall, me lembrei de voltar e perguntar pra Lídia: "Cê não tá machucada?" — "Não tô não, o sangue é dele. Miguelito deu umas cabeçadas e porradas na parede, no armário, por aí tudo... coitadinho". Coitadinho? Coitadinho uma porra. Uma das portas do armário estava de fato rachada e as paredes decoradas com manchas de sangue. Aquilo sim é que era arte radical. Eu hein...

A caminho do quarto constatei que meu pau tinha sumido dentro da cueca. Deve ter ido tomar média com pão e manteiga na padaria, esperando os ânimos se acalmarem, pensei. Aí, entrei na câmara ardente onde tinha deixado meu amor de bunda pra cima ou pra baixo, não lembrava — e cadê meu amor? Procurei na sala, banheiro, cozinha, quarto de empregada, lavanderia e nada. "Five o' clock as the day begins she is far away..." Essa canção dos Beatles me veio instantânea à cabeça. Tinha se picado, a mardita, com suas roupas brancas manchadas do seu e do meu vômito. Deixou

122

um único vestígio: um brinco de pena colorida. Enganchei o brinco na cueca, na altura do pau, e fui olhar o Cristo na janela. Ele tinha acabado de acordar, pois se espreguiçava lânguido em pedra. Fiz o mesmo, num longo bocejo. Acendi uma bagana que dormia num cinzeiro e fumei até queimar os dedos e os lábios. Daí, caí no colchão de cueca e brinco de pena de sabiá (ou de curió ou de ticotico no fubá), e fiquei olhando a cabeça do Cristo no quadro da janela. De repente, uma asa-delta entrou em cena, pássaro leve e lento. A asa-delta contornou a cabeça do Redentor. Fechei os olhos e saí do ar.

Acordei umas três horas depois. O mingau cerebral estava em plena ebulição na minha cabeça, me impedindo de dormir fundo. Decretei o fim do meu périplo por alheias paragens. Era chegada a hora de puxar o carro pra São Paulo, meu querido útero de concreto e fumaça. Levantei, fui no banheiro, verifiquei com alívio que a porta do casal estava fechada; não queria presenciar a ressaca moral das cenas estrambólicas de ainda há pouco. Deixaria um bilhetinho simpático e ligaria na segunda-feira de São Paulo. Ao mijar, quase desmaiei de dor. Tinha uma crosta de pus nas bordas da uretra. O mijo me saía em jatos atrozes de chumbo quente. Me bateu a maior deprê. Eu desconfiava que aquela seria a quinta gonorréia da minha vida. Sandra, o jamaicano, o americano, o antibiótico, o loft, a cama do sultão, a calça arriada, a amnésia alcoólica... elementos de uma história nebulosa foram se encaixando no meu entendimento. Eu devia abrigar um gonococus rastafari de Kingstown, se é que não era uma legítima bactéria white-anglo-saxon-protestant de New York City, ou então brasuca mesmo, com cicatrizes na cara microscópica. Botei a memória na prensa, a ver se me lembrava da buceta de Sandra. Ela devia ter uma pujante de pelos negros. Mas não lembrava de nada.

O banho me animou um pouco. Em São Paulo me entregaria a rigorosas terapias de corpo e alma. Uns dias na casa dos velhos me poriam ok de novo. Bom rango, horários regrados, roupa limpa e bem passada — excelente sanatório. Embrulhei meu pau gotejante em papel higiênico. Ficou feito múmia xôxa. Daí, juntei os cacos da consciência dispersa no sem-tempo da vadiagem, empanturrei meu bag de nylon de roupa suja, menos as peças vomitadas, que joguei no lixo, escrevi um bilhetinho pra Lídia — "Valeu. Te ligo de Sampa. Feliz barriga. Calma na Província Cisplatina. Fica coa garrafinha de pó, de presente. Beijo. Quim" — desci de elevador e entrei de sola numa bela manhã de setembro, azul solar, justamente o dia lindo que o Rio estava me devendo. Na porta do prédio, topei com Solange, a Sô, museta dos surfistas e guitarristas, que chegava carregando pão e leite. A jovem cafungueira não dispensava o café da manhã em família, mesmo que depois passasse a tarde numa quitinete em Copacabana, em suruba cocaínica com o guitarrista, ou com o surfista, ou com os dois juntos. Sô sorriu ao me ver, e você sabe que um sorriso de menina colhido num fim de manhã solar é capaz de te fazer olhar pras coisas estourando de luz na rua e achar que a vida é bela. Pelo menos por alguns quarteirões. Vendo meu bag de nylon estufado, ela disse: "Caindo, já?" — "É..." — "Achei que cê ia dar um tempo na Lídia."

O que significava aquilo? Ah, Solange, se você dissesse que me ama, eu ficava agonizando de papo pro ar na praia o resto da vida, como o Último Tamoio. Virava vapor, vampiro, voleibolista só pra te sustentar. E te estendia uma esteirinha na areia e te sagrava Rainha do Ócio d'Aquém e d'Além Mar.

Disse pra ela: "Pois é, uma hora o errante navegante tem que chegar em casa. Faz duas semanas que eu tô tentando voltar pra São Paulo..." — "Cê não gosta do Rio?" — "Eu amo o Rio", disse eu, olhando bem nos olhos dela, "mas meu lance é lá em Sampa, sacumé?" — "Hmmm... 'tão tá", ela disse, me dando um beijo em cada bochecha, mais um terceiro, de misericórdia, nos lábios. Entrou no prédio e eu fiquei parado na calçada, segurando o coração pr'ele não despencar.

Bom, daí peguei um táxi pro Santos Dumont. O chofer, um mulato de óculos ray-ban, reclinado no banco com encosto pra cabeça, braços esticados, mãos fechadas no volante, xispava no fusca, costurando o trânsito com furor kamikase. Eu ia no banco de trás, passageiro e vítima, me agarrando onde podia. Os táxis do Rio deviam portar um decalque advertindo: A vida é breve. Tim Maia no rádio: "Quem tem na vida um bom motivo pra sonhar / tem um sonho todo azul / azul da cor do mar..." Pelo espelhinho o piloto saboreava meu medo. A ressaca, chacoalhada sem dó, se vingava em ondas de enjôo. Pedi: "Xará, dá procê manerá um pouco? Tô cuma ressaca da porra e sem a menor pressa". O desprezo filtrado em ray-ban que ele me jogou pelo retrovisor me refrigerou. Ele soltou um "falô" cavernoso e maneirou por uns três minutos. Daí, enfiou de novo o pé na tábua, com mais gosto que antes. Me intimidei; encanei que ele podia puxar um berro se eu reclamasse de novo. Só me restava a fé em Deus. Como eu não tinha fé, o que me sobrava mesmo era o cu na mão. O cara enfiou o fusca entre dois ônibus que tiravam um racha na Nossa Senhora de Copacabana. A paralela dos coletivos se estreitava às vezes ameaçando a gente de sanduichamento. Com muita dificuldade íamos vencendo os dois brucutus quando um farol vermelhou à nossa frente. Ray-ban brecou? Nem o motorista do ônibus da esquerda. Pés deles nem piscaram no acelerador. O ônibus da direita arregou, quando viu os carros da transversal avançarem pra cruzar a N. Sra. de Copacabana. Conteve o ímpeto em guinchos de breque agônico e evitou um massacre. Foi generoso da parte dele. O outro ônibus e o meu táxi só deram uma chegadinha pra esquerda. Um opala branco, liderando um grupo de quatro ou cinco combatentes que avançavam pela direita, quase chapou a traseira do nosso fusca, o que naquela velocidade daria em capotamento na certa. Eu ia morrer com o sorriso de Solange estampado na memória, e o sorriso de Solange se espalharia no asfalto quente em forma de miolos esfacelados. Passamos incólumes, sob a ira das buzinas. Adiante, não agüentei: apertei o ombro do cara e bradei: "Pára, pelo amor de Deus, senão vomito aqui mesmo!" No ato o cara encostou no meio-fio, tomando antes a precaução de fechar uma brasília, o que provocou um grito de pneus e um jorro de palavrões. Fui lançado no vão livre, ao lado do motorista; dei uma ligeira cabeçada no pára-brisa. Ray-ban soltou um "sculpe" sem convicção e me abriu a porta. Corri pra árvore mais próxima, me escorei no tronco encardido e soltei a bílis. Ray-ban foi me levar um pedaço de papel higiênico. Do táxi estacionado, vinha a voz do Tim Maia: "Ah, se o mundo inteiro me quiser ouvir / tenho muito pra contar / dizer que aprendi..." Me limpei. Andei um pouco pra expandir os pulmões. Ray-ban ficou sentado no pára-lama do fusca, me esperando. Daí, entramos no carro, ele arrancou e eu nem precisei falar nada: rolou mais ou menos suave até o Santos Dumont.

Tinha pouca gente no avião, naquele meio-dia dominical. Eu tentava me imbuir da solenidade da ocasião; afinal, era o derradeiro vôo de volta pra casa. Mas eu estava muito enjoado pra me sentir solene. Eu não sentia nenhum estranhamento nessa volta à São Paulo. Era como se eu tivesse saído de lá dois anos antes pra ir comer uma peixada no Rio e voltasse agora, quatro horas depois, de estômago embrulhado e a alma do avesso. Pedi uma cerveja pra aeromoça, mas ela informou que não serviam mais álcool na ponte aérea. Pedi um suco de tomate, ela disse que não tinha. Me contentei com um guaraná em lata. Desidratadão, tomei direto duas latas. Dei um vasto arroto. Ninguém à vista. Me estiquei nas três poltronas vazias, pruma soneca. Arrumei o pau enfaixado em papel higiênico dentro da cueca. O primeiro paulistano que eu queria ver na segunda-feira era um urologista. Dei um peido, muito mais sulfuroso do que eu imaginava. Ouvi tosses, resmungos, cochichos ao redor. Apostei no anonimato e soltei mais alguns peidos, igualmente putrefatos. Novas tosses, cochichos e resmungos em volta, mais veementes dessa vez. Teria soltado novos e diabólicos peidos, se não me reprimisse o medo de levar um esculacho da aeromoça: "O senhor tenha a bondade de controlar seu esfíncter! Caso contrário será lançado aos tubarões!"

Então, implodi os peidos, fechei os olhos e fui afundando num delírio verbal-imagístico, semi-consciente, típico de sonolência de ressaca. Qual terá sido a primeira imagem que me veio à cabeça? Acho que ninguém se espantará de me ouvir dizer que de uma mulher — obsessão implacável do carentão que vos fala. Era uma mulher furta-fêmea, mistura cambiante das mulheres que eu conheci em carne viva, palpável ou passageira, em out-doors, telas de cinema e tevê, em revistas, quadros e ilustrações, sem contar as que o desejo solitário me desenhou na fantasia. Let it rock: "Got to get the

127

money to buy some brand new shoes / gotta find a woman to take away my blues..." Era isso aí: descolar grana prum sapato novo descolar a mulher que me levasse embora a tristeza. Isso, mais um antibiótico potente me resolveriam a vida. Agora era relaxar e tentar uma soneca reparadora pra não chegar na casa dos velhos com cara de cu. Domingão no Brasil, e eu voando no vácuo da ressaca de volta pro lar. LAR?! Nem profissão. "Tá tudo solto na plataforma do ar", ou seja: sai de baixo, Morengueira! Voltar pra casa. Rentrer chez soi. Idéia prum filme me pintou de repente: personagens se aproximando da grande cidade, cada qual de um jeito: carro, trem, avião, moto, pé-dois, barco, pára-quedas, cavalo, bicicleta, zepelin, patinete, patins, etc. Planos rápidos mostrando as fronteiras da cidade e o assalto dos personagens ao grande cagalhão geometriconcretex. Uma nova história ia começar. Plano de vôo: sem ofícios, só off-ócios. Correr por fora, na maciota. Vida de artista. Daí, meu pau deu de endurecer dentro do pijama de papel higiênico, ao sabor da lembrança nítida de um filme de sacanagem nível Z que eu tinha visto na cabinê privê de uma porno-shop, em Nova York: triângulo sexual numa cama redonda de motel. Um homem e duas mulheres, uma loira e uma ruiva. O filme repassou inteiro na minha cabecinha ressacada. Maconheiro bebum só tem memória involuntária. Certas lembranças se evocam sozinhas com fidelidade absurda. Era assim: enquanto o cara trabalha o corpo da loiraça, a ruivona fica puxando, mordendo, lambendo, arranhando ele. O cara, tipo vendedor do Mappin, seção de sapatos pra senhoras, se aparta relutante da loira e passa a bolinar a ruivaça de peitões caídos. A loira tem peitões também, só que um pouco mais rijos; os da ruiva segurariam uma lata de budweiser cheia, os da loira no máximo dois maços de chesterfield. Daí, é a loira que passa a disputar o carinha à ruiva. Numa manobra contorcionista, ela abocanha as bolas do sujeito, quando o pau dele já está enterrado até a metade na xota da ruiva. O cara grita de dor. Solta um palavrão dinamarquês. Desentuba a ruiva, agarra a loira pelos cabelos, cospe na cara dela, recebe uma cuspida de volta, os dois acabam se beijando com selvageria. Ele bota a loira de quatro, cospe no pau, ainda teso, e o enfia na bunda da moça, que ainda ajuda, arregaçando uma nádega. Ao mesmo tempo que castiga o cu da loira, o cara repele com coices e empurrões o assédio felino da ruiva. Quando está a ponto de gozar, a ruiva consegue entocar-lhe um dedo no cu, aliás um belo ramalhete de hemorróidas, como a câmera faz questão de mostrar em close. Ele urra e vira uma porrada certeira na cara dá ruiva, que, no entanto, não arreda o dedo do fiofó do cara. Daí, depois de algum pugilato, ele acaba tirando o pau meio amolecido do cu da loira, e tomba pra trás, exausto, rendido, brochado. É a vez da loira e da ruiva se abraçarem e beijarem por cima do amante estatelado. Elas vão de carícia em malícia até um paroxismo de excitação que culmina num 69 vibrante, filmado em campo/contra-campo invertidos. Quando as duas começam a gozar, uma na boca da outra, entra um take do carinha voyeurando as aranhas assanhadas e se aplicando uma punheta que logo se derrama em gozo e gosma sobre as mulheres acopladas e fim.

Minha uretra ardia dentro do pau duro. A carne cruel castigava a libido peralta. Só sexo, só sexo, só sexo — mas e o amor? O amor não é sério, ponderei. Quando a gente leva o amor a sério, a gente sofre. E quem quer sofrer, sabendo que ainda por cima vai morrer no final do filme? A excita-

ção mental me impedia de dormir. Saquei o caderninho, puxei a lapiseira toison d'or presa na camisa, e mandei ver: "Fábula: Um cara bem forte pegou um paralelepípedo bem pesado, jogou ele bem
pro alto, o paralelepípedo caiu bem na cabeça dele,
deixando ele bem morto e bem esticado no chão.
Moral: SAI DE BAIXO!" Parei de escrever, sabendo
de antemão que quando começo a ficar mórbido o
fim é o desespero. E eu não queria chegar deses-
perado em São Paulo, que só não chamo de "minha
São Paulo" pra ela não cagar de rir na minha cabeça. "I know wath it is like to be dead", concluí por
fim no notebook. As aspirinas que tomara no apê
de Lídia começavam a perder efeito, cedendo lugar
a uma dor funda no meio da testa. Talvez eu estivesse prestes a ganhar a terceira visão. Em todo
caso, eu precisava de mais aspirina. Uma angústia
no peito veio fazer jogo de cena coa minha dor de
cabeça. Me sentia mal no ar; não me sentiria melhor em terra, mas pelo menos não teria a morte
como passarela constante. O velho elektra trepidava em certos trechos, fazendo soar em meus ouvidos o brado celestial: *Já era!* Fechei os olhos, tentando controlar o malestar através da respiração.
No que abro os olhos, vejo um padre passando no
corredor. Ele pára um instante perto de mim, saca
um lenço ranhoso da batina, e assoa o narigão peludo. Daí, segue em frente. Fechei de novo os olhos
e apertei a boca. Lembrei de ter lido não sei onde
que dez por cento dos padres são bebuns de car-
teirinha. Inda bem que não é o contrário, penso.
Se dez por cento dos bebuns fossem padres, o mundo virava uma missa troncha recendendo vinho de
sacristia. Quantos cus de coroínhas não teria comido aquele santo homem gripado que acabara de
passar por mim? E quantas vezes não dera o próprio cu pros dedicados sacristãos? Armei figas nas

130

duas mãos. Se o avião caísse, será que o padre rezaria uma ave-maria por todos os passageiros, ou só invocaria um deus-me-acuda egoísta? Estava a ponto de me arrepender de ter sacaneado o padre em pensamento, quando a aeromoça passou por mim. Abordei ela: "Would you please love me?" Não, não; o que eu disse foi: "Será que dava procê me arranjar umas duas aspirinas, por favor?" Daí, acendeu o aviso de apertar os cintos. A aeromoça trouxe as aspirinas e um copo d'água. Logo depois, ouvi a voz do comandante: "Quem vos fala é o comandante Castro. Dentro de cinco minutos estaremos aterrisando no aeroporto de Congonhas. O tempo está nublado, com chuvas esporádicas. A temperatura é de 18 graus. Em nome da tripulação e da Vasp, me despeço, esperando contar com a presença das senhoras e senhores nos próximos vôos da ponte aérea. Tenham todos uma boa tarde".

●

Trânsito parado na rua Estados Unidos, no cruzamento coa Rebouças. O moleque do mentex chega no personagem da direção do fusca vermelho:

— É pra ajudar minha mãe e os meu irmão que tão passando fome. Uma é mil e quinhentos. Três eu deixo por três e quinhentos. Pro senhor.

O personagem na direção, diz, num espanto indignado:

— What?! One thousand and a half a single pack of mentex? You've gone crazy? It was only five hundred the other day. Are they putting gold in that shit now?

— Pois é, meu, mas num sou eu, é os hóme que aumenta os preço. Leva três aí. Deixo por três e quatrocentos, falô?

131

O personagem na direção puxa a carteira e assinala dois barões na mão do moleque. Os carros na frente avançam.

— Gimme only one pack, ok?

O carinha do mentex procura troco no bolso. Carros buzinam atrás do fusca vermelho, que começa a se movimentar. Já está quase cruzando a Rebouças, quando o moleque grita:

— Xará! Olha a quina e o mentex — correndo atrás do fusca.

O da direção, virando à esquerda na Rebouças, berra pro do mentex:

— Keep'em for you. I hate mentex, anyway. Good luck!

O moleque do mentex estica o dedão pra cima e joga um sorriso pro da direção, que desce a Rebouças em direção à avenida Brasil. Ele vai, sabe-se lá pra onde ele vai.

F I M

(junho de 85, rua Alagoas, SP / você acabou de ler um texto de ficção / obrigado Matt pelos retoques no inglês / obrigado Marsicano pelos poemas marcianos / obrigado Tânia pela competente datilografia / obrigado Ivan, Lima e Peninha pela força na grana em 84 / obrigado Samuca pelos New York Dolls)